問題は英国ではない、EUなのだ

21世紀の新・国家論

エマニュエル・トッド
堀 茂樹［訳］

文春新書

1093

日本の読者へ――新たな歴史的転換をどう見るか？

第二次大戦後の三つの局面

今日、先進世界が新たな歴史的転換点に近づき、新たな局面に入ろうとしていることを看て取るのは、さほど難しくありません。新たな局面というのは、先の世界大戦から数えて三つ目の段階に相当する局面です。事柄を見やすくするために、ざっくりした時代区分を採用しましょう。

第一局面は、一九五〇年から一九八〇年までの経済成長期です。この期間にヨーロッパと日本はアメリカに追いつきました。消費社会が到来した時代でした。

次に第二局面ですが、これは一九八〇年から二〇一〇年までで、この時期にわれわれは経済的グローバリゼーションを経験しました。このグローバリゼーションは、ここ数世紀のさまざまな世界的潮流と同様、アングロ・アメリカン、すなわち英米によって推進されたのでした。ソ連や中国の共産主義はそれに抵抗し得ませんでした。

二〇一〇年以来、われわれは第三局面が近づいてきているのを感じています。グローバリゼーションのダイナミズムが底をついてきていることがその兆候ですが、しかもその兆候が、アメリカとイギリスというグローバリゼーションを発生させた二つの国を例外とせず、むしろとりわけこの二国で現れてきているのです。

アメリカでは、不平等の拡大、支配的な白人グループにおける死亡率の上昇、社会不安の一般化などの結果、ナショナルな方向への揺り戻しが始まっており、それを象徴しているのが、ドナルド・トランプやバーニー・サンダースのような大統領候補の登場です。

イギリスも、ほとんどアメリカに劣らないほどグローバリゼーションの影響を受けた結果、このたび「EU離脱《ブレグジット》〔Brexit〕」を決めました。つまり、欧州統合というプロジェクトからの離脱を決めたのです。因みに、欧州統合プロジェクトは、欧州共同体が自由貿易を全面的に信奉するようになってからは、グローバリゼーションという全世界的プロジェクトの単なる地方版になってしまっています。

アメリカとイギリスに見られるこの変化は、とてつもない逆転現象です。なにしろ、アングロサクソンの二つの大きな社会が、三〇年間にわたって歯止めなき個人主義をプロモーションした果てに、ネオリベラリズム的であることに自ら耐えられなくなっているのですから。この二つの社会は、ネイション〔国民〕としての自らの再構築を希求しています。今やわれわれは、マーガレット・サッチャーの“There is no such thing as society.”〔社会などというものは存在しない〕という言葉から遥かに遠い地点にたどり着いているわけです。私はここでは直接に英語で、アメリカとイギリスは今日、「グローバリゼーション・ファティーグ〔疲労〕」に苦しんでいると言いたく思います。

ネオリベラリズムがもたらした移民問題

移民現象は、ネオリベラリズムの経済理論の中には、「労働要素の必要な流動性」としてしか現れてきません。ネオリベラリズムの政治哲学の中では、抽象的な個人として称揚されるけれども、その文化的特殊性においては否認される人間たちと等価のものとしてしか扱われていません。

しかしながら現実には、移民現象は、商品流通の自由、資本移動の自由にもまして、ネオリベラリズムの信仰を断ち切る根本的な要素として現れて来つつあります。英国人と米国人は移民――一方ではポーランド人、他方ではメキシコ人――の流入を、それ自体として悪いわけではないが、過剰であると感じ始めています。イギリスとアメリカの国民は、最低限の領土的安全の必要性を、そして特定の人間グループとして存在することへの権利の必要性を強く感じています。

これに対してヨーロッパはというと、現実を絶対的に否認するがゆえに苦しんでいます。経済的グローバリゼーションにおいてアングロサクソンに追随したヨーロッパは、それでも独自性を発揮し、経済的グローバリゼーションの上に、諸国家の政治的廃止というイデオロギー的な夢を重ねることで、グローバリゼーションの作用をいっそう悪化させました。当初グローバリゼーションに乗り遅れていたヨーロッパが、風向きが変わる今、奇しくもその戯画のようになっているのです。

ブリュッセルのEU官僚機構は、諸人民、諸国民の間の差異を消すことを企てたのでした。しかし、ドイツはフランスではなく、フランスはイタリアではなく、イタリアはフィンランドではないのです。かくして、ユーロ圏はすでに機能不全に陥っており、やがては崩れます。

分散・不一致に向かう先進諸国

先進諸国のあり方が一致していくという暗黙のモデルが、経済と社会のグローバル化という展望の根底にあったわけですが、それが各国の推移の現実の前で徐々に解体されています。

出生率という人口学的な指標の数値が数十年前から国によって非常に異なっており、今や各国をそれぞれ個別の運命へと導いています。フランスとイギリスは、人口が増えもしないが減りもしない、一応バランスのとれた状態にあります。日本は高齢化していますが、何よりも国民の同質性の維持を気遣うがゆえに、人手不足の問題の解決をテクノロジーに求めています。ドイツでは年々、人口ピラミッドに大きく空いた穴を埋めるのに若年層の三分の一が不足しているのですが、日本と違って大国にふさわしいパワーを持つことを諦めず、信じがたいほど冒険主義的な労働力輸入政策に打って出ています。自国周辺のいたるところで国境と国家の無意味化を促しているのです。ウクライナでも、中東でもそうで、それらの地域では、アメリカの無力な軍隊装備よりも、ドイツの経済パワーのほうが重きを成しつつあります。

ドイツのあり方はパラドクサルです。ドイツは、さまざまなネイションのうちでも最もナショナルなネイションであり、それは、あの国の熱烈な重商主義と過剰な貿易黒字が示しているとおりです。しかし、それでいてドイツは今日、ドイツなりのやり方でですけれども、グローバリゼーションの理想に忠実であり続けているおそらく唯一の先進国なのです。

ドイツの経済システムはすでに複数のネイションにまたがり、東ヨーロッパの労働力と西ヨーロッパの消費者を組み合わせています。もしかしてドイツは、もはや後戻りできないと思っているのでしょうか？　今後二〇年の間に崩壊するリスクを冒しても……。

中国は半先進国にすぎません。しかし、先進各国、特にアメリカで起こってきている潮流の反転があの国を苦境に陥れる可能性はあります。中国経済の成長は輸出主導なので、アメリカがナショナルな方向へ重心を移すとき、特にその重心移動が統合ヨーロッパの統合の崩壊や断片化と時を一にして起こるとき、続かなくなるでしょう。

知的ニヒリズムとしての経済主義

調子の狂ったこの先進世界では、未来予想が緊急の必要となってきています。しかし、未来予想をするのは、三〇年前に比べて格段に難しい。なぜなら、経済的である前にイデオロギー的・文化的な現象であるネオリベラリズムの擡頭と支配が、社会科学と歴史的考察を荒廃させたからです。

経済主義的な偏狭な歴史観がすべてに浸透し、ついには、アメリカ大陸、ヨーロッパ、中国などの経済史について、研究対象とする国や地域の人びとの教育水準に関心を抱くこともなく本を書く学者までが少なからず現れるに到っています。

宗教的価値と経済的行動の間の相互作用も忘れられました。個人や家族の生活様態は場所と時代により人口の均衡や不均衡を導くのですが、それも忘れられました。経済主義は、たとえ多くのモデルやグラフの後ろに隠れても、知的ニヒリズムのソフィスティケートされた一形態にすぎません。経済主義が、各国のエリート層や政府の知的武装を解除してしまったのです。今日、先進国の誰もが大きな歴史的反転の状況に直面しているというのに――。

しかし、誰がいったい、江戸時代がもっぱら経済成長でしかなかったなどと言えるでしょうか？　誰がいったい、われわれの危機がもっぱら経済的なものだとか、われわれがいよいよ差しかかっている第三局面ももっぱら経済の局面であるとか、断定できるのでしょうか？　われわれは文明の危機や、人類学的変化の観点で物事を考えなくてはなりません。

多次元的現象としての歴史的転換

現下の歴史的転換は、経済に関する転換である前に、その基盤において家族、人口、宗教、教育に関する転換です。大学の優先的課題の一つは、大学が提示する課程、資金を投入する研究の中に、人類の人類学的要素、宗教、教育、芸術などの変容の内部に経済史を組みこむような経済史へのアプローチを再導入することであろうと思われます。審美主義でこんなことを言うのではありません。われわれ人類に起こることの多次元的な性質を知ることが切迫した必要となってきているから言うのです。

実は、本書の狙いはそのような知的姿勢をめぐってあれこれと――体系的ではないにせよ――考えるところにあるのです。いくつかの箇所で、忘却された歴史的知見を現在についての考察の中心に据え直すというオペレーションをおこなっています。それこそが、若い頃から一貫して私の方法なのです。

その点では、この本は、二〇一五年に日本で出版された『「ドイツ帝国」が世界を破滅させる』〔文春新書〕と同じです。あの本もまた、私の友人で、いわば「共犯者」でもある西泰志氏と堀茂樹氏によって世に出たのでした。しかし、異なる点が一つあります。冒頭にイギリスのEU離脱《ブレグジット》に関する記事〔「1　なぜ英国はEU離脱を選んだのか?・」〕があり、その中で私はイギリスへの自分の愛着を明らかにしていますが、その記事を例外として、本書に収録されたインタビューと講演はすべて日本でおこなったものです。これは私が本当の意味で初めて日本で作った本だと言えます。

この特殊性は無意味ではありません。外国を訪れると、人は自分のふだんの生活環境に固有の拘束や習慣から解放されます。より自由になるのです。何はともあれパリは、独特の視点からものを考える「変人のような」研究者にも優しい都市ですけれど、それでも私は自分の住むあの街にいるとき、僅かながらも慎重さは必要と感じていて、ある種のことを言うのは本能的に避けています。

日本の箱根で、遠くに富士山を眺めながら友人の堀茂樹氏、西泰志氏と会話していたあの時間、疑いもなく私は、世界の他のどの場所へ行っても自分にはアクセスできないレベルの自由に到達していました。あの確かな自由の感覚が、進行中の歴史に関して本書に収録された考察や思索の内に透けて表れているといいなと思います。

エマニュエル・トッド

問題は英国ではない、EUなのだ——21世紀の新・国家論◎目次

の無責任さ／EU崩壊はどのように進むか？／スコットランドは分離独立しない／英国の「目覚め」に続け！　ほか

3　トッドの歴史の方法――「予言」はいかにして可能なのか？

歴史家トッドはいかにして誕生したか？

トッドとは誰か？／とにかく「歴史家になりたい」と思った／典型的なフランス知識人ではない――哲学嫌い／歴史人口学との出会い／歴史は目に見えるものではない／大陸の観念論を嫌う家風／家族構造で説明できる共産主義／「科学的発見」に議論の余地はない／「自由」をめぐるパラドクス／マルクスとの違いと共感／歴史を動かすのは中産階級／歴史の趨勢が見えてくる変数／教育という変数――識字率と高等教育の進学率／核家族こそ最も原始的な家族形態／場所のシステム／ブリコラージュ屋／家族由来の価値観は強固でない／科学とは自分の間違いに気づくこと／世論調査に現れる日本人の特性／日独の違い　ほか

国家を再評価せよ

核家族と国家／ネオリベラリズムの根本的矛盾――「個人主義」は「国家」を必要とする／アメリカにとっての「国家」／エリートのナルシスト化／「世代」ごと

1　なぜ英国はEU離脱を選んだのか？

原題　L'étape numéro 4, après le réveil de l'Allemagne, de la Russie, et du Royaume-Uni, doit être le réveil de la France. Suivre les Anglais est conforme à notre tradition révolutionnaire

聞き手　ニコラ・グッズマン　Nicolas Goetzmann

初出　アトランティコ http://www.atlantico.fr 二〇一六年七月三日

「長期持続」の歴史から英国EU離脱を捉える

――六月二三日、連合王国がEU離脱を選択しました。エマニュエル・トッドさん、この結果にさぞかしご満足でしょうね……。

まったくその通りで、喜んでいます。しかし、そのことは実は肝腎のことではありません。私が同時代の出来事に関心を寄せるのは、「長期持続」を重視するフランスの歴史学派、フェルナン・ブローデルや、私の師であるエマニュエル・ル＝ロワ＝ラデュリなどのアナール学派に連なる一人の歴史家としてなのです。ですから私は、政治家たちのてんやわんやに特徴的な短期勝負のものの見方から距離を取ろうと努めています。

イギリスのEU離脱《ブレグジット》〔Brexit〕は、世界規模で起こっているある一つの大きな現象の一部分であり、現在私はその現象を研究しているのですが、これは、アメリカ、カナダ、オーストラリア、日本を含む最先進国全体に関わる現象です。すなわち、分散・不一致という現象です。

人口学者は、先進国のなかで出生率に大いにバラツキがあること、少子化に歯止めがかかった国もあれば、歯止めのかからない国もあること、したがって移民に頼らざるを得ない国もあれば、そうでない国もあることを知っています。

また、アンソニー・アトキンソン『21世紀の不平等』やトマ・ピケティ『21世紀の資本』の研究が示すとおり、格差拡大の規模とスピードに違いがあることも知っています。家族構造の人類学は、こうした先進国間の差異と不一致の起源がどこにあるかを理解させてくれます。グローバリゼーションという文脈のなかで現在生じているのは、国民文化の抵抗だけではありません。

グローバリゼーションによるストレスと苦しみの結果、何が起こっているか？　先進諸国の社会は、いっそう開放的になって互いに一致していくどころか、むしろ反対に、それぞれの内部に、それぞれの伝統の内に、それぞれの人類学的基底の内に、グローバリゼーションに対処して自らを再建する力を見出しつつあります。

たとえば日本は、日本回帰の時期を迎えています。日本人は、ヨーロッパのあずかり知らぬところで自律的な発展を遂げた江戸時代を懐かしんでいます。

これと同じ力が、アメリカでバーニー・サンダースやドナルド・トランプのような大統領候補の出現を可能にしたのです。その力は、ネイションとしてのアメリカの再建を夢見て、「ワシントン・コンセンサス」やグローバル化の言説からの脱却を要求しています。

ドイツとロシアのネイション回帰

ヨーロッパに目を転じると、いっそう興味深い現象が確認されます。というのも、われわれヨーロッパは、より古くから存在する諸国民の集まりだからです。

いまお話しした全体的なプロセスに、ヨーロッパはいち早く入りました。なにしろドイツこそが、先頭を切ってこのプロセスを経験したのですから。ネイションへの回帰は、一九九〇年の東西再統一の際、ドイツの課題となりました。それはドイツにとって、引き受けないわけにいかないタスクでした。ドイツ東部を再建する必要がありました。

このような一種の時間的先行の結果、ほとんど偶然にもドイツは二〇一〇年頃から、ヨーロッパ大陸で圧倒的な優位を手に入れることになったのです。ヨーロッパで国民的な理想に回帰した二番手の国はロシアで、この国は多くの混乱を経て自らを回復しました。ソ連邦が崩壊し、一九九〇年から二〇〇〇年にかけて、ロシアは苛酷で困難な時期を耐え忍びました。しかし、プーチンの大統領就任がロシアらしい国民的理想への回帰を現実化しました。その理想自体にも、ネオ・ドゴール主義ともいうべき国民的自立の概念への立ち帰りが見られました。

ロシア人たちは、およそ一五年の歳月を経てようやく、経済的に、技術的に、軍事的にアメリカを恐れる必要から解放されたのです。ロシアがもはやアメリカを恐れていないことは、ジョージア〔グルジア〕問題、クリミア問題、シリア問題と、段階を追って次第に確認できました。今日では、西側諸国であっても、シリア上空を飛行するのにロシアの許可を必要とするまでに到っています。

この筋道の中で、イギリスのEU離脱《ブレグジット》をめぐる国民投票は「第三段階」と言えましょう。すなわち、ネイションとしてのイギリスの再浮上です。

英国のネイション回帰はより重要

——ネイションへの回帰というダイナミズムのなかで、イギリスのケースの特性はどのあたりにあるのでしょうか?

イギリスは、ネイションへの回帰において先陣を切ったわけではありませんが、おそらく最重要の段階を体現しています。なぜならイギリスは、グローバル化を主導した二国のうちの一国だからです。マーガレット・サッチャーの登場で、イギリスはネオリベラル革命においてアメリカに一年先行しました。新自由主義の論理を最初に推進した二国のうちの一国なのです。

英米がナショナルな理想の方へ大きく揺れ戻るのは、ドイツの擡頭、ロシアの安定化にもまして重要です。一七世紀以来、世界の経済史、政治史を推進してきたのはアングロ・アメリカンの世界、つまり英米です。

イギリスというネイションは、絡み合い、相矛盾する二つの特徴をもっています。第一に、あの国はヨーロッパで最も個人主義的で、最も開放的な文化をもっています。政治的自由というものを発明した国なのです。同時に、逆説的ながら、エスニシティを基盤として、ほとんど日本と同じくらいに強固なナショナル・アイデンティティを有する国です。日本人と同様、イギリス人は自分が何者であるかということについて疑いを抱かないのです。

近代のリーダーとしての英国

――ネイションへの回帰というあなたの推論にしたがえば、ドイツ、ロシア、そしてイギリスと来て、さてイギリスに続くのはどの国でしょうか?

私の言わんとしていることをきちんと理解するには、まずイギリスについてのステレオタイプを振り払っていただく必要があります。われわれフランス人の目には、イギリス人はたしかに奇妙に見えます。彼らは二階建てバスを走らせるし、それも左側通行で走らせる。ユーモアが好きで、うやうやしく女王陛下を戴いている。そうしたことはすべて事実です。

しかし、いま特に必要なのは、ブローデル的な「長期持続」の観点に立って、イギリス人をわれわれの近代のリーダーとして捉えることです。産業革命は、イングランドとスコットランドから始まりました。それがヨーロッパ全体を経済的に一変させました。フランス、ドイツ、ロシア、その他の国々の産業革命は、その帰結でしかありません。

しかも、経済的変容にも先立って、イギリス人はリベラルでデモクラティックな近代を発明したのです。その真の出発点は、一六八八年でした。彼らが「名誉革命」と呼ぶ革命によって、議会制の君主政体が確立しました。一七三四年に世に出たヴォルテールの『イギリス書簡』〔別名『哲学書簡』〕を読んでみてください。クウェーカー教徒についての笑える話や、ニュートンにおける性生活の欠落への言及などとともに、イギリス的近代に対する彼の讃嘆を確認することができます。

一七八九年、フランスの革命家たちの夢と目的は、政治における近代化のモデルであったイギリスに追いつくことだったのです。これは、ダロン・アセモグルとジェイムズ・A・ロビンソンが『国家はなぜ衰退するのか』というベストセラー本で提示した見方でしてね、私はこの見方を受け入れます。この二人の著者が我がフランスに対してかなり好意的であるがゆえに尚のこと受け入れやすい……。フランス革命がヨーロッパ大陸全体にもたらしたものの決定的な重要性とか、フランス革命が人民の包摂という理想を一般化したことかを強調してくれています。とはいえ、代表制による統治を発明したのはフランスではなく、イギリスです。

英国議会の主権回復こそ離脱の動機

この文脈において、EUに真に影響を及ぼす初めての国民投票、その意味で「歴史的」と言える国民投票がイギリスでおこなわれたのは、理に適っていたと言えます。国民投票は、イギリスではあまり馴染みのない手続きです。しかし、このたびの国民投票が示したものは非常に明らかです。出口調査によれば、EU離脱《ブレグジット》の第一の動機は、移民云々ではなく、イギリス議会の主権回復でした。イギリス人にとって政治哲学上の絶対原則は議会の主権にあるのですが、EU離脱《ブレグジット》を選択するまで、イギリス議会は主権を失っていたのです。結論を言います。ドイツ、ロシア、イギリスの目覚めに続く「第四段階」は、論理的には、フランスの目覚めでなければなりません。イギリス人の後に続くというのは、われわれの革命的伝統にマッチしています。

パリ―ロンドン軸こそ鍵

――あなたの話を突き詰めていけば、「ヨーロッパを変える」のにふさわしいのは、もはや「仏独カップル」ではなく、「パリ―ロンドンカップル」だということになりそうです。

そのとおりです。ヨーロッパは「諸国民のヨーロッパ」となるでしょう。それが平和的なものになることを私は願っていますが、「諸国民のヨーロッパ」においては常に勢力均衡が問題になり、当面は、ドイツが経済的に突出した存在であり続けます。中期的には、ドイツの人口学的危機と移民問題における冒険主義が、今後二〇年くらいを睨んで、ドイツとヨーロッパ大陸の深刻な政治危機の予兆のように思われます。

フランスの指導者たちの主要な落ち度の一つは、ドイツとの良きバランスの回復の鍵となるのが、われわれに対して破壊的に働くユーロではなく、パリ―ロンドン軸だということを理解しなかった点、そのことを予測する能力を持ち合わせなかった点にあります。パリ―ロンドン軸は、現実を動かすパワーと文化のロジックに適っているので、一時的なだけのカップルではありません。中期的に見て必然的なカップルです。

フランスのエリートたちがイギリスを警戒すると主張するとき、そこには大きな虚偽があります。実際には、イギリスは、ヨーロッパ諸国のうち、われわれフランスが全面的に信頼できる唯一の国であり、だからこそ、軍事安全保障においても効果的に協力し合える唯一の国なのです。これは単に技術上のことではありません。きわめて強固な信頼関係を秘めている事象です。

現実をさらに明らかにしましょう。ベルリンにフランス人は数万人しかいませんが、ロンドンには数十万人のフランス人がいるのです。フランスに多くのイギリス人がいるようにね。ロンドンとパリは、ヨーロッパにおける双子の大都市です。

フランスとイギリスの人口動態はほぼ同じ状況にあり、出生率は女性一人につき子供二人です。新自由主義的で不平等主義的なイギリスと福祉国家的なフランスを対比する言説にも一理はありますが、この二国を観察すれば、若者の抑圧と高齢者の既得権維持の下、並行的に推移していることが分かります。すべての国は互いに異なっているのですが、客観的な比較をすれば、本当に異質な国は、イギリスではなく、少子化で若者が減少し、人口減少で家賃が下がり、左右の政治勢力が構造的に一体を成し、社会的に権威主義が支配する国、すなわちドイツです。イギリスではありません。

「西側システム」の終焉

――では、「諸国民国家のヨーロッパ」への移行は、どのように進むのでしょうか?

まず大陸ヨーロッパでは、この移行は、残念ながら反民主主義的な逸脱の加速化と強化によって進むでしょう。自由主義的なイギリスが自国再建のためにわれわれのヨーロッパから離脱した以上、今後は、ベルリンからより乱暴に、より露骨に、さまざまな指令が下されるでしょう。各国の指導者層は――フランスの場合は「指導する層」というよりドイツに「指導される層」ですが――、公然と屈辱的な立場に置かれることを覚悟しなければなりません。

イギリスの離脱によって、米国もまたドイツをコントロールする力を決定的に失うのだということを忘れてはなりません。イギリスの離脱とともに、ドイツ中心の世界は公式に独立を獲得したのです。アメリカのコントロール力は、イラク戦争の際のドイツの拒否戦略によって、かなり弱まっていました。さらに、「財政出動で世界経済の回復に貢献してほしい」と懇願した米国の経済運営上の要求をドイツがにべもなく拒否した際、われわれはアメリカの無力を確認しました。

イギリスのEU離脱《ブレグジット》は、西側システムという概念の終焉を意味しています。今後は、どのような再編もあり得ます。これは、冷戦の真の終わりです。プーチンのきわめて慎重なコメントから、彼がそのことをよく理解していることが分かります。

米国の反露政策がドイツを暴走させる

実際、状況は危険なものとなっていきます。それはしかし、EU順応主義者らが主張しているような理由によってではないのです。

確かに、誰も戦争を望んでいないという事実からヨーロッパのこの安全が保たれていること、われわれ諸国民が高齢化していること、そして少なくとも当面は一定程度の豊かさを保てるであろうこと、こうしたことは事実です。

しかし、ナショナルなものの肯定という暴力的な要素が現れてきています。ドイツによるヨーロッパ大陸の経済的掌握という暴力が存在します。また、ドイツの移民政策も強引で、これはユーロ圏諸国の経済を破壊するドイツの緊縮政策の論理的帰結です。背景には、スペイン、イタリア、ポルトガル、ギリシャから、そして遠からずフランスからも、失業に追い込まれた若い熟練労働者を回収してドイツ経済のために活用しようという、ドイツのあまりにも強引な思惑があります。アメリカの要求をはね除けたときのドイツの振る舞い方には愛想のカケラもありませんでした。

フランスの「反米」は、ドイツの「反米」に比べれば、冗談のたぐいにすぎません。私見によればドイツ人は、第二次世界大戦における米国の勝利を正統なものと見做していません。というのも、真の勝利は地上戦における勝利であり、その勝利はロシアのものであったということを、ナチス・ドイツと熾烈に戦った連合国側兵士の九〇%がロシア人だったということを、ドイツ人は知っているからです。

ソ連ブロック瓦解後にアメリカがロシアに対してとった苛酷な政策は、戦略的にとてつもない過ちでした。アメリカは冷戦の勝利に酔いしれていて、自らがドイツを不安定な、危なっかしい状態へと促していることに気づかなかったのです。アメリカは、ナチス・ドイツに対する真の勝者であったロシアに屈辱を味わわせました。それはある意味で、第二次世界大戦がなかったかのような仕打ちでした。もはや勝者も敗者もないという歴史無視でした。その結果、ドイツは自国の過去から解放されました。つまり、反ロシア政策をとったことで、米国はドイツに対するコントロール力を失ったのです。

他方、フランスは、イギリスと組んでドイツに対するバランサーの役割を果たす代わりに、何かにつけて「ドイツは素晴らしい」と言い続けてきたのです。フランスのドイツに対する自主的隷属は、ドイツのネイションとしての再形成に貢献しました。

「ヨーロッパ」はもはや存在しない

——欧州委員会委員長ジャン＝クロード・ユンケルによれば、「イギリスのEU離脱は円満な離婚ではない」とのことです。フランス大統領のフランソワ・オランドはといえば、「連合王国がEU単一市場に残りたいのであれば、言葉のあらゆる意味においてその代償を支払う必要があり、その代償には人の移動の自由も含まれる」と言い、こうした状況の認識は「経験と教訓に値し得る」とも述べました。連合王国に対する「強硬姿勢」といえるこうした立場をどう解釈しますか?

われわれにはもはや「指導者層〔指導する層〕」はいません。すでに述べた通り、「指導される層」しか存在しないのです。オランドやユンケルが何を言おうと、もはや私の関心を惹きません。あなたがいま引用された言葉はひとつの演技であって、あたかも「Europe〔仏語〕」がいまなお存在しているかのようなふりをしているだけなのです。実際に存在しているのは、「Europa〔独語〕」、つまり「ドイツ的ヨーロッパ」なのです。

私の見るところ、国民投票の結果の判明後にさまざまなことが次々に起こりましたが、そのうちで唯一重要だったのは、各国の外相と、フランス大統領のオランド、そしてイタリア首相のレンツィが、指令を受けるためにベルリンに馳せ参じたことです。これでもって現実が露見しました。オランドの強硬姿勢など、実際には何の効力も持ちません。物事を決めるのはドイツなのです。

しかしながら、次のことは確認しておきましょう。わがフランス共和国大統領は、いや、ベルリンにおけるわれわれの代表者は、わが国の国益を裏切ってもいるのです。フランスは、一〇％もの失業率を抱え、イギリス以外のすべてのヨーロッパ諸国に対して貿易赤字を計上しています。

他方で、イギリスに対する金融投資、産業投資はかなりの額に上っています。それなのにオランドは、われわれフランス人をイギリスとの衝突に導こうとしている。イギリスと経済的に衝突した場合、ドーバー海峡の向こうのわれわれの姉妹国との関係の密度の高さゆえに、フランスは最も多くのものを失う国となります。こうしたオランド大統領の振る舞いには、国益に関する意識がまったく欠如しています。

欧州より大きな英語圏に属する英国

イギリスと張り合おうとするのは、ロシアを屈服させようとするのと同じぐらい常軌を逸しています。グレートブリテン王国は島国ですが、孤立してはいません。英語を共有する先進国世界、すなわち、米国、オーストラリア、カナダ、ニュージーランド、そしてイギリスの総人口は、フランス西部のブレストからポーランドのワルシャワに到るまでの人口を上回っています。連合王国は、そのように大きな一つの全体に属しているのです。

というわけで、私の関心はドイツに絞られます。問題はドイツがどう振る舞うかです。

二つのドイツ——ビスマルクとヴィルヘルム

ドイツの国家としての振る舞いを観察すると二つの異なる心理的・政治的行動様式が確認できます。

一つは、理性的な行動様式で、私はそれをビスマルク様式と呼んでいます。この様式に従うとき、ドイツは友好国をできるだけ多くつくることによって、自らの支配地域のコントロールを保持しようと努めます。ビスマルクは、イギリス、ロシア、オーストリア＝ハンガリー帝国、イタリアとの友好関係を築くことで、一八七一年に普仏戦争に敗れてアルザス＝ロレーヌ地方の喪失を受け入れかねていたフランスをうまく孤立させました。当時、ビスマルクの目的は、再統一されたドイツ帝国の安定化だったのです。

もう一つは、ヴィルヘルム様式です。この様式ではドイツは暴走し、できるだけ多くの敵国をつくって、せっかく獲得したものをすべて失います。ヴィルヘルム二世は、ロシアと仲違いし、イギリスと仲違いして、その結果、フランスに格好の同盟関係を提供しました。つまり、平常心を失わないドイツ様式と偏執狂的なドイツ様式が存在するのです。

メルケルは、どちらかと言うとビスマルク様式、つまり平常心を失わないドイツ様式の人なのですが、大量移民を呼び寄せ、ヨーロッパ不安定化の引き金を引いたときは違いました。シリア難民、イラク難民、アフガニスタン難民への呼びかけによって、メルケルは、ヴィルヘルム的、偏執狂的な様式に移行したのです。

今日、平常心を失わない理性的なビスマルク様式を採用するとすれば、ドイツはイギリスのEU離脱《ブレグジット》を大騒ぎすることなしに受け入れ、むしろその状況を利用してヨーロッパ大陸の掌握を完成させるでしょう。ドイツは、すべての関税障壁を低くしたヨーロッパにあって、世界一自由貿易主義的な国なのです。わざわざ貿易戦争を仕掛けて、自縄自縛になる必要がどこにありましょうか。

英国を頼れずドイツに服従するフランス

イギリスのEU離脱《ブレグジット》で生じた事態は、アングロサクソン恐怖症のヨーロッパ主義者たちが、否、あえてずばり言いましょう、ナチス・ドイツに協力したあのヴィシー政権の末裔にあたる新ペタン主義者たちが主張しているのとは正反対なのです。あの新ペタン主義者たちは、イギリスの離脱の結果、ドイツに対するフランスの役割が強化されると思って喜んでいます。それこそ明らかな間違いです。

恐ろしい真実、それは今日までのヨーロッパには各国のパワーの均衡状態が存在していて、一方に支配的なパワーとしてのドイツがあり、他方にイギリスとフランスのパワーがあったということです。ドイツ外交は専らフランスおよびイギリスの反対を懐柔して、全体を掌握する自国のパワーを維持するために、バランスの維持に努めていたのです。今やドイツは、イギリスを、政治の面で最も自由主義的で、ドイツおよび大陸ヨーロッパ全般ですでに強いものとなっているすべての権威主義的誘惑に対するブレーキ以外の何物でもあり得ない国、イギリスを厄介払いしたのです。

今後フランスはイギリスの保護をあてにできません。つまり、歴然と実力差のあるドイツと一対一で向き合わなくてはならないのです。われわれの国のエリート層は、われわれを「ドイツへの自主的服従」の状態に置きましたが、この服従もだんだんと自主的な性格を失っていくでしょう。ベルリンからの指令は、ますます礼儀を欠いたものとなるでしょう。ドイツが大きな戦略を持たず、その場かぎりの戦術に終始するからです。つまりドイツは、これまでのイギリスの立場にイタリアを置くことでフランスを弱体化させるだろうと思われます。イタリアのレンツィ首相をゲームの中に引き込んで新たにEU域内競争の状況を作り出し、またまたフランスを弱体化させるでしょう。

一九四一年の欧州の再来

とはいえ、長期的には私は事態を楽観しています。諸国民が再び擡頭してきたという見方については、いかなる疑いも抱きません。問題の最終的なイシューは、「諸国民のヨーロッパ」への平和的な回帰という形をとるでしょう。なぜならば、ヨーロッパ諸国の人口は高齢化しており、ヨーロッパ大陸の最強国であるドイツがわずかな軍事力しかもたず、核兵器を保有していず、ヨーロッパ人は依然としておおむね平和的で文明的だからです。戦争の発生は想像できません。しかし、移行局面において、フランスの立場は非常に困難なものとなるでしょう。われわれはドイツに贔屓され可愛がられる生徒、財政赤字も許容される気まぐれな子供という地位を失うでしょう。失業率一五％への道を辿るのかもしれません。イギリス人がEUからの離脱を決めたのは勿論、ブリュッセルの官僚機構を嫌ってのことですが、それだけではなく、イギリス人の場合、自由の観念が血肉化されているのです。彼らはユーロ圏を単に経済的なカタストロフとして、「緊縮と停滞のゾーン」というふうに見ているだけではありません。それだけならば世界中と同じ見方であるにとどまります。そうではなく、彼らの眼にユーロ圏は、反民主主義的な権威主義的逸脱の空間と映るのです。そして言うまでもなく、欧州の中央空間からのイギリスの撤退によって生じるのは、当面、「Europa〔ドイツ的ヨーロッパ〕」の権威主義的逸脱の更なる進行です。

地政学者の見地に立ってみると、ヨーロッパ大陸の両端にロシアとイギリスという二つの大きな自由なネイションが存在し、フランスがドイツに追随し、イタリアが脱落しつつあり、アメリカが介入を躊躇《ためら》っているというこの全体的状況は、一九四一年のヨーロッパの若干古びた平和的・経済的パロディでしかありません。

「移民のコントロール」と「排外主義」は同じでない

——イギリスのEU離脱をめぐる国民投票で主要なテーマだった移民問題にあなたは言及しましたね。それはとりもなおさず、離脱派の勝利が、政治的自由への回帰とは別の要因によって可能になったことを示しているのではありませんか?

投票所での出口調査によれば、イギリス人の第一の動機は物事の決定権をロンドンに取り戻すことにありました。つまり、民主主義的な要求だったのです。それに次ぐ動機はたしかに移民問題に関係していました。しかし、われわれフランス人にとってと「同じ移民」が問題だったのではありません。ポーランド人移民が問題だったのです。EUの規則は、ヨーロッパ人にヨーロッパを自由に移動する権利を与えています。ここでわれわれは、見解を明確に述べなくてはなりません。

この文脈において私は、二〇一五年、『シャルリとは誰か？』〔文春新書〕という本の中でムスリム系の同国人に安心して暮らす権利があるという考えを唱え、フランスの政界とメディアで集中砲火を浴びておいて、本当によかったと思っています。なぜならそのお蔭でいま私は、ルペン主義者呼ばわりされることなしに、移民問題についてバランスのとれた発言をすることができるだけのイデオロギー空間を手にしているからです。

私は、リーズナブルな移民受け入れに賛成する者です。移民現象は良いものであり、移民の同化も良いことですが、同化には時間がかかるのですから、移民に時間的余裕を与えるべきであって、イスラムを悪魔のように言うことが良い解決法でないことを認めなくてはいけません。素朴に人間的なこの考え方を主張した結果、私は友人の半数を失い、自国の首相であるマニュエル・ヴァルスによってあたかも悪いフランス人であるかのように遇されました。

しかし、だからこそ現況において私は、次のように言うことができるし、実際に言わねばならないのです。今日、歯止めなき移民受け入れ主義がヨーロッパ・イデオロギーとでも言うべきものとなって、ポーランド人や中東の人びとなど、移動する外国人の権利を自国にとどまっている諸国民の権利に優先させ、諸国の住民を治安の行き届かない状態に置いていています。そうしたイデオロギーは善意の外観にもかかわらず、実はアンチ・ヒューマニズムです。

人権の内に、そして現実に機能するにはネイションを枠組みとする以外にない民主主義の基盤自体の内に、領土的安全の権利、移民現象をコントロールする権利が、明示的でないとしても含まれています。その権利を否定するのは、西洋社会を一挙に野蛮の中に放り込むのに等しい仕業《しわざ》です。移民現象をコントロールしようとする望みを排外主義扱いするのは、無責任にほかなりません。この点でもまた、イギリス人にこそ理があります。

少子化問題を安易に移民で解決しようとするドイツ

しかしながら、ここでわれわれは、構造的にヴィルヘルム様式的で、冒険主義的で、大陸ヨーロッパの不安定要因となっているドイツと正面から衝突します。ドイツの根本的な関心事はすでに国内に存在するトルコ系移民すら適切に同化できていないにもかかわらず、移民をさらに大規模に呼び込むことにあります。

年齢別人口ピラミッドの下部に空いた穴は、彼らの強迫観念となっています。ドイツにとって、ヨーロッパ域内での、さらにはヨーロッパの外までも含めての人びとの移動の自由は、彼らの移民受け入れ政策にとって不可欠であるがゆえにきわめて重要なのです。

すでに述べたように、ドイツはユーロ圏で失業に追い込まれた若い熟練労働者を吸収しようとしています。人類学的にリーズナブルな程度を超えて、イトコ婚〔内婚〕の割合が三五％にも達する中東地域の人びとを受け入れようとしています。無秩序な移民受け入れが、ドイツの国家的プロジェクトと化しています。

独裁者ばかりだった一九三〇年代の欧州

ここで、あらゆる誤解を避けたいと思います。私はラディカルな対立を好むわけではありません。まさにその逆です。

私の考えでは、いま述べてきたような矛盾を明らかにするのは、むしろ深刻な対立の悪化を防ぎ、リーズナブルな移民受け入れの展望、諸国民の平和的共存、デモクラシーの擁護を目指して、フランス、イギリス、ドイツ、イタリア、スペイン、スウェーデン、その他さまざまの国々の間で合意点を見つけようとすることにつながります。特に、本質論として「ヨーロッパとは民主主義だ」と言うばかりでは事足りません。

頭を冷やして考えてみましょう。イギリス人のいないヨーロッパ、それはもはや民主主義の地ではないと言えますよ。一九三〇年代の大陸ヨーロッパを振り返ってご覧なさい。ポルトガルにはサラザール、スペインにはフランコ将軍、イタリアにはムッソリーニ、ドイツにはヒトラー、そして東ヨーロッパでも、チェコスロバキア以外の到る処に独裁者がいました。現実を否認すれば、いずれ現実に荒々しくぶつかってしまうのです。問題が放置されれば、言うまでもなく、紛争が再び始まるのです。

英国をよく知るフランス人として

――六月二九日付の『ル・モンド』紙は、「自らの勝利という罠にはまった離脱派の指導者たち」という見出しを掲げました。イギリスのEU離脱への賛成投票が優位を占めて以来、「後悔する連合王国」という同じ文句の繰り返しが世論の中心に定着しています。こうした受け止め方をどう見ますか？

そこには現実も反映されていると思いますよ。私はイギリスの状況をかなり綿密に追いかけています。親英派であるから、研究者になったのがケンブリッジ大学であったからというので、私はしばしば偏った意見の持ち主と見られます。誇りをもって打ち明けておきますが、私の背景にはもっと鮮明な事実があります。長男もケンブリッジで学んだのです。彼は私よりも成績が良かった。それでケンブリッジが彼を採用しました。というわけで、息子はロンドンに住み、イギリス国籍を取りました。そして現在、嬉しいことに私には二人、イギリス人の孫がいるのです。

それでも私は、まずフランス人と見做されたいと思っています。「フランソワ・オランドよりもよくイギリスを知るフランス人」「スコットランドのアクセントを聞き分けられるフランス人」というように見做されたいのです。そしてこの機会に、自分が時折、歴史家のA・J・P・テイラーの流儀に倣い、グレートブリテン島や連合王国全体を示す意味で、つまり古風な用法で「イギリス人〔Anglais〕」や「イギリス〔Angleterre〕」という言葉を用いていることを断っておきます。

「右」寄りエリートの一部が民衆の指導者に

イギリスのEU離脱《ブレグジット》が、イギリスにおける文化的、政治的、社会的、イデオロギー的な危機の引き金になったことは明らかです。上層階級とエスタブリッシュメントがこぞって「残留」に投票したのも事実です。フランスでいえば経営者や上級知的階層に相当するイギリスの社会職能的特権階級、そして小経営者も「残留」に投票しました。「離脱」が過半数を占めたのは、「下位の中産階級」、われわれのカテゴリーでは「中間層」に相当し、有権者の三〇%を占める層においてです。ケンブリッジの選挙区では、「残留」は七二%に達しました。

投票結果は、イギリスの上層階級の大部分にとって衝撃的なものでした。話し言葉のアクセントの違いとなって表れる階層間の違いは、イギリスではフランス以上に顕著です。そして、国民投票後の「二日酔い」が癒えないこの時期において、特定の階層では、民衆への反感の怒りが頂点に達しています。労働党は危機に陥りました。

しかしながら、この点がフランスと大きく異なるのですが、イギリスでは、保守党に属する、したがって「右」に位置取りしているエリートの一部分が、エリート層に反発する民衆の指導者になり得るのです。これはきわめて興味深い現象ですが、ここでは謙虚な研究者にとどまり、事の背景にあるすべての要素を私がまだ理解するに到っていないことを認めなければなりません。

驚くべき人物、ボリス・ジョンソン

とはいえ、イギリスの人びとはボリス・ジョンソン〈前ロンドン市長〉を見つけました。まったく驚くべき人物で、その家系や学歴からすれば、まぎれもなくイギリスの最上層階級の人間です。イギリスでは、最上流のエリート層の一部が民衆の側について、ネイションの再浮上をマネージメントし得るわけです。一種ミステリアスなこの現象が加わって、空回りする労働党ではなく、保守党の内部で民主的な議論がおこなわれているのです。

翻って、我らがフランス社会党の反民衆的で、反国民的なあり方を想起しないわけにいきません……。すべてを理解できてはいないものの、われわれは「経験主義的に」――これはあまりフランス的ではない言葉です――、とにもかくにもイギリスでは、民主的・国民的な奮起が普通の政界座標軸では「右」に分類される陣営で起きているわけで、この事実を認める必要がありましょう。われわれにとって不幸なことに、フランスにはボリス・ジョンソンやマイケル・ゴーヴ〈前司法大臣〉に相当する人物がいません。

ただ、もしかすると、「右」にはそういう人物の登場する余地があるのかもしれません。しかしながら、誰も敢えて立とうとしないということも、あり得なくはありません。「左」

は完全に死んでいます。「左翼党」〈社会党よりも左に位置する政党〉の大統領候補メランションに、どんなことであれ期待できるとは私はまったく思いません。左翼は、インターナショナリズムと普遍主義の素朴すぎる、抽象的で時代遅れのヴィジョンによって機能不全に陥っているのです。かく言う私自身の政治的ポジションは中道左派なのですけれども。

プチ・ブル化するフランスのエリート層

――離脱派は五二％に近い得票で勝利しました。二〇一五年の総選挙におけるイギリス独立党の得票は一二・六％でした。フランスでも、有権者のEUへの懐疑と、その懐疑に対応する主張をおこなっている政党の得票率の間に、大きなギャップがあります。「ラディカルな」世論が多数を占めていることと、その世論を代表する政治家たちが弱い勢力しか形成し得ていないというこのパラドクスは、いったい何を意味しているのでしょうか？

重要なのはイギリス独立党〈ＵＫＩＰ〉の動静ではなく、イギリスには常にウィンストン・チャーチル、あるいはボリス・ジョンソンがいるということです。イギリスで、ファラージ〈イギリス独立党党首〉が政権を握るなどということは、依然として考えられもしません。イギリス政府はまったく伝統的なエスタブリッシュメントの一部分の手のうちに留まるはずです。それが自己刷新をやってのける指導層なのですから……まことに羨ましい。

フランスにとって真に嘆かわしいのは、エスタブリッシュメントの内部に、一般の人びとの利益を引き受ける方向へとエリート層の少数派を突き動かすような、尊厳の意識の奮起が見えて来ないということです。私は常にアンチ・ポピュリストでありました。そして常に、フランスのエリートが理性に立ち帰ることを願って論陣を張ってきました。しかし、いったいどうして我が国のエリートは一様に諦めてしまうのでしょうか。我が国にはエリート育成に特化したグランゼコールがあるのに……。グランゼコールがコンスタントに輩出しているのは、尊大で他人を見下すようなエリートです。

私が心配するのは、ああしたよく訓練された優秀な学生たちが、民衆から自分を区別することに汲々とするプチ・ブルジョワにとどまっているのではないかということです。つまり、モンテスキューが大事にした高貴な自由という概念に、グランゼコールの出身者はまったくアクセスできていないのではないか。

フランス・エリートの歴史的トラウマ――ドイツ恐怖症

尤《もっと》も、そこには歴史があり、歴史に起因するトラウマがあります。フランスとイギリスの間の根本的違いは、抽象的で時代遅れの概念であるヨーロッパに対する関係にあるのではありません。ドイツとの関係にあるのです。ドイツに服従するなど、イギリス人には「何だ、そりゃ?・」というような話です。フランスでは、事情がより複雑です。

フランスのメディアと政界に君臨するエスタブリッシュメントの人びとは自らに嘘をついています。これを白日の下に晒す必要があります。彼らは好んで、仏独カップルだの、仏独の友好だのを口にします。

ところが、ドイツに対して真に友好的で、敬意を抱いてもいるフランス人を、私は個人的に一人しか知りません。私自身です。私は自著で、ドイツの宗教改革とルターがヨーロッパの民衆の識字化のために果たした役割の大きさを明確化しました。ドイツ史の悲劇的な偉大さにも私は敏感です。自分のためにあえて言いますが、ドイツに対する感情移入さえも私にはあり得ます。

しかし、フランスのエリートのドイツに対する本当の感情はというと、それは恐怖なのです。これは、フランツ＝オリヴィエ・ジスベールの名前のイニシャルに因んで私が「F

OG症候群」と呼んでいるものです。

私はFOGがけっこう好きです。彼は剽軽者で、才能豊かです。彼は自分をシニカルな風に演じているのです。政治家のオフ生活を暴露しては悦に入る。『ヌーヴェル・オプセルヴァトゥール』誌から『フィガロ』紙に移り、右派のオジサン雑誌である『ル・ポワン』で私にネオ・マルクス主義的なインタビューをしました。個人的なことを語らせたら満場の哄笑をまき起こし、ときに非常に辛辣でもある。審美家風で、すべてを面白がる男です。

ところが一度だけ、レストラン「ラ・クロズリ・デ・リラ」で自己コントロールを失った彼を見かけたことがあります。ドイツが話題になっていました。彼はもはやドイツとの紛争に対する怖れしか口にできませんでした。その折、私は合点しました。フランスのエリートは単純にドイツが怖いのだとね。かつてブリュッセルで、こんな冗談が流行っていました。「ヨーロッパとは何か？　ヨーロッパとはドイツを怖がるすべての国民の連合だ……」。そして、この定義はドイツ人も含む」。今日のヨーロッパの真の問題は、アメリカの戦略的失敗とフランスの臆病さによって、ドイツ人たちがもはやドイツを恐れなくなったことなのです。

「英国分裂」は心配無用

――スコットランド、北部アイルランド、ウェールズ、ロンドン、国民投票は連合王国を分断したように見えます。イギリスの分裂の可能性に戦慄しないのですか？

歴史のゆっくりとした歩みという概念に立ち戻りましょう。歴史的に真実なのは、連合王国のＥＵへの帰属こそが、この解体プロセスの引き金となったということです。

ＥＵへの帰属は、いたるところで地域主義の擡頭、国境の不安定化を招きました。ヨーロッパへの帰属が、ロンドンをイギリスの後背地から引き離し、スコットランド人をロンドンから引き離したのです。フランス、スペイン、イタリアでも同様の事態が起きています。したがって、もちろん、われわれが今日眼にしているのは、連合王国を解体する遠心力が極点に達している状況なのです。

しかしロンドンにとって、スコットランドに関しては、補償について話し合い、時間を稼げば済むでしょう。スコットランド人には、これから新たな現実が現れていきます。スコットランドの住民人口は五四〇万人ですが、現在、スコットランド以外のイギリスで暮らす人のうちの八〇万人がスコットランド生まれなのです。EUによる解体の力はこれから弱まっていくだろうし、とりわけ、スコットランド人がこれから現れる新しいヨーロッパの現実に直面するということが大きい。ヨーロッパに入るために連合王国から離脱する、などということが問題なのではありません。

選択肢はこうです。ロンドンへの服従をやめてベルリンに服従する必要があるか？　スコットランド人がベルリンを選ぶなど、私にはあまりにも考えにくいことです。スコットランドもまた一つの偉大なネイションです。あなたに、アルチュール・ヘルマンの『How the Scots Invented the Modern World〔いかにしてスコットランド人は近代世界を発明したのか？〕』という本をお勧めします。というわけで、スコットランドについては、スコットランド語で *dinna fash yersel*〔心配無用〕と申しておきます。

時間はかかるEU離脱

イギリス人にとって簡単な問題だとは言いません。山積する問題を解決するには労力を費やさねばなりません。すべてを軌道に乗せるには、最短でも一〇年はかかるでしょう。あるいは一世代〔三〇年〕の時間が必要かもしれません。現在のヨーロッパの惨事を生み出すのには、それ以上の時間がかかったわけですから。

最も悩ましい真の問題は、北部アイルランドではなく、南部アイルランドに関することです。デンマークと同様に、アイルランド共和国は、連合王国に追随するためだけに共通市場に参加しました。ですから、もし大陸ヨーロッパが対立を辞さない態度に出れば、アイルランドは経済的に持続不可能な状況に追い込まれるでしょう。

再建に向かう「英国・オランダ・北欧諸国」と崩壊する「ドイツ＝ＥＵ」

同様に、スカンジナビア諸国にとって、イギリスの離脱後になおＥＵに留まることにどんな利益があるのかを考察するのも興味深いことです。スカンジナビア諸国の中産階級は英語をきわめて上手に操り、ほぼバイリンガルです。北欧諸国は、ＥＵの誕生によって分断されました。ノルウェーはＥＵを拒否し、フィンランドはユーロ圏に入り、スウェーデンはユーロ圏を拒否しましたが、ブリュッセル官僚機構のお喋りにうんざりしています。オランダ人は、そのリベラルな気質のゆえにイギリス人に非常に近い。とすれば、彼らが一斉にＥＵを離脱すれば、北欧諸国の連帯を再建するための条件が揃うでしょう。グレートブリテン王国とアイルランドの再建、スカンジナビアの再建をイメージすることは可能です。だとすれば、ドイツへの権力集中をカムフラージュすることが唯一の目的であるかのような無駄話に嵌まり込んでいる二七カ国は……。

EU離脱《ブレグジット》の投票分布地図において、私に強い印象を与えたのはロンドンとスコットランドの「残留」ではありません。それは予想されていたことです。そうではなく、イギリスを破壊するかのように見えていた南北の亀裂が消滅したことでした。イギリスは保守党地盤の南部地域でも、労働党地盤の北部地域でも、等しく「離脱」に票を投じたのです。あたかも国民投票によってイギリス社会の再統合がすでに少し開始されたかのように。

――ナイジェル・ファラージのように、離脱派のリーダーのうちの数人が、離脱によってもたらされる利益を大袈裟に宣伝していたことを認めました。EUを離脱しても、キャンペーン中に取り上げられた諸問題が必ずしも解決するわけではないとイギリスの大衆が気づくとしたら、危険なことではないでしょうか？

イギリスの実際のEU離脱《ブレグジット》が容易だと考えるのはバカげています。ヨーロッパ統合にしても、一時期は非常にポジティブなものだったのが、官僚主義的狂気の要素も手伝って、この数十年のうちに社会破壊と問題山積の局面に突入したわけです。イギリスのＥＵ離脱《ブレグジット》も一朝一夕に進められるわけがありません。これは短期的課題、中期的課題、長期的課題に分けて考えるべき問題の典型です。連合王国は、解決すべき多くの問題を抱えることになるでしょう。

しかし、諸国民が分化していくダイナミズムについて冒頭で述べたことを踏まえれば、ヨーロッパを待ち受けている問題のほうが大変で、今にわれわれはイギリスのことに関心を寄せる時間的余裕を失っていくでしょう。すなわち、ドーバー海峡の向こう岸〔イギリス〕では再建、こちら側のヨーロッパ大陸では解体。それこそが、これからやって来る年月のプログラムです。話題がありすぎて、ジャーナリストは退屈している暇がないでしょう。大きな歴史的挑戦にイギリス人が取り掛かるには、常に一定の時間が必要となりますが、やがて彼らはそれをきちんと引き受けます。それに対し、周回遅れのヨーロッパ主義者が笑い者になるのは確実です。

英国保守党のエレガントな振舞い

イギリスのＥＵ離脱《ブレグジット》が完遂されるという仮説、最も蓋然性の高いこの仮説に立つならば、移行期間が設定されるのはまったくノーマルなことです。しかし、ここ数日の間に私が強い印象を受けたのは、無秩序のありさまどころか、イギリス人に具わっている国家への忠誠心とショックに耐える心性のクォリティの高さです。

国民投票で離脱が決まったあとのデーヴィッド・キャメロンの声明と辞任表明は、本能的になされたものでしたが、実に見事でした。EU離脱《ブレグジット》の舵取りをしなければならない後継者に引き継ぐ前に、彼は移行に必要な時間を確保したのです。彼は理想的なスケジュールを設定しました。もしこの種の態度が保守党内で、また国民全体の中で確認されていくならば、このたびの試練を乗り越えていく上でイギリスの能力は信頼に値します。

それと共に、トーリー党員〔保守党の前身の旧王党〕にとっての喫緊の課題は、EU離脱《ブレグジット》の冒険に乗り出す前に党内融和を図ることであり、ジョンソンが党首選出馬を辞退したのは、キャメロンのエレガントな振舞いに対応しています。

しかし、ここで突然、私のフランス人性が頭を擡げてきます。私は改めてわれわれの大統領であるオランドの姿を思い浮かべ、泣きたくなる……。フランスもまた偉大な国家です。オランドでは釣り合わない。われわれはもっと価値ある国民《ネイション》であるはずなのに！

2

「グローバリゼーション・ファティーグ」と英国の「目覚め」

原　題　ＥＵ崩壊で始まる「新世界秩序」

初　出　『文藝春秋』二〇一六年九月号

＊一部修正の上、収録。

英国EU離脱を直観的に予言

私は、二〇一五年に出版した自著『「ドイツ帝国」が世界を破滅させる』（文春新書）の中で、英国のEU離脱《ブレグジット》（Brexit）を予言していたそうです。

「いつかイギリスはEUから去ると思いますか」という質問に対して、「もちろん！」と答えていたのですが、私自身すっかり忘れていました。この六月にイギリスで行われた国民投票で離脱派が勝利したことを受け、改めて担当編集者から伝えられて思い出しました。

これまで私は、ソビエト連邦の崩壊やユーロの瓦解、あるいはアラブの春といった歴史的な帰結に関して予言的な発言をしてきましたが、それらは歴史人口学者として、客観的な指標を元に理性的な判断をした結論を述べたものです。その点、イギリスに関する「予言」は、やや種類を異にすると言っていいでしょう。というのも、イギリスについて語るとき、私はより本能的というか、直観的な判断を述べるからです。

正直に言っておきますが、私はイギリスに関して自分が完全に客観的になれるとは思えません。私の父方の祖母はイギリス人で、父は仏英のバイリンガルでした。私がケンブリッジ大学で研究者生活を送ったのと同じように、私の長男はケンブリッジ大学に学びました。しかも彼はそこにとどまり、イギリス国籍をも取りました。ですから、私にはイギリス人の二人の孫がいます。なによりも、私はフランソワ・オランド大統領よりも英国を詳しく知り、スコットランド訛りのアクセントを聞き分けられるフランス人として誇りを持っているのです。

以前にも私は、イギリスについて直観的な予言をしたことがあります。サッチャー政権時代に、アルゼンチンが領有権を主張するフォークランド諸島に侵攻したときのことです。当時、フランスでは「あんな僻地にある小さな島をめぐって、イギリスはまったく動かないだろう」という見方が大勢を占めていました。しかし私は、「いや、イギリスは必ず行動を起こすよ」と言いました。国家の主権や独立といった事象に触れるときにイギリス人がどう振る舞うかを考え、そう直観したのです。その後、〝鉄の女〟マーガレット・サッチャー首相が、アルゼンチンに対して軍事攻撃に踏み切ったことは周知の通りです。

今回、EUからの離脱《ブレグジット》を選択したイギリス人の判断に私は大いに満足しています。ただ、その国民投票に先立つ数週間は、彼らが離脱を選ぶことを希望していたとはいえ、まったく確信は持てませんでした。一つだけ言えるのは、イギリス人は私たちフランス人と違って賢明な判断を下したということです（笑）。

個人的にイギリスに近い立場にあるため、「なぜ前もって、イギリスのEU離脱《ブレグジット》を予言できたのか」と理論的な分析を求められると、やや戸惑ってしまうのですが、改めてイギリス国民の選択を分析してみましょう。

「ドイツに支配されている欧州」からの独立

ヨーロッパを一つに束ねようとするEUの試みは、いまや失敗であることが明らかになっています。ところが、誰もそれに対して「ノー」と立ち上がろうとしない。宿命的で仕方がないものだという諦めに近い雰囲気があります。なぜかと言うと、フランスもスペインもイタリアも、現在は独立国としての誇りを十分に持っていないからです。

一方、イギリスは「ドイツに支配されているヨーロッパ」に対して立ち上がったのです。イギリス人自身は、この事実に必ずしも自覚的ではないかもしれません。

イギリス人は、自分たちのナショナル・アイデンティティに疑いを抱いていません。その点、日本人のアイデンティティ意識にも通じるものがあります。日本人にとっては、自分たちが「日本人であること」は自明でしょう。ただ、そのような感覚は大陸のヨーロッパ諸国では必ずしも一般的とは言えないのです。また、イギリスは日本と同じように島国であり、独立にこだわっています。

イギリスがEUを離脱した第一の動機は、移民問題ではなく、英国議会の主権回復だったことが出口調査の結果から明らかになっています。すなわち、EU本部が置かれて官僚が跋扈《ばっこ》しているブリュッセル、あるいはEUの支配的リーダーとなっているアンゲラ・メルケル首相率いるドイツからの独立だったのです。

普段はおとなしい英国の労働者階級の反抗

もっとも、研究者としてやや腑に落ちない点もあります。イギリス社会はナショナル・アイデンティティの強さによって特徴づけられますが、画然たる階級差がある。英語の発音にしても、文化にしても、所属する階級によってまったく違っているのです。そして、伝統的に労働者階級は支配的な階層に対してかなり恭《うやうや》しいという性質があります。フランスと比べると、階級間の闘争があまりないのです。

今回の国民投票では、多少の分裂はあったにせよ、エリート層は概してEUに残る方を選んでいました。私は毎朝、『ガーディアン』『インディペンデント』『デイリー・テレグラフ』といったイギリスの日刊紙を読むことを日課にしていますが、新聞の論調は圧倒的に残留派が優勢でした。

しかし、実際の投票行動を分析すると、一般大衆の世論は大きく離脱に傾きました。つまり、普段は比較的おとなしい英国の庶民、労働者階級の人々が、エリートに対して「うんざりだ」「これ以上は耐えられない」と拒絶のメッセージを突き付けたわけです。これはイギリス社会を知る人間としては、これまでのヴィジョンの中には収まりきらない部分であり、特筆すべき現象であると思います。

「グローバリゼーション終焉」の始まり

その背景にあるのは、行きつくところまで行きついたグローバリゼーションへの反発でしょう。ご存じのようにアングロサクソン国家のイギリスとアメリカは、グローバリゼーションを引っ張ってきたトップ二カ国です。結果として、経済的格差が最も大きくなっている国でもあります。

イギリスは、いわゆる「サッチャリズム」と呼ばれる市場原理主義的な経済政策を、アメリカのレーガン政権に一年先駆けて導入しました。サッチャーは「ゆりかごから墓場まで」に象徴される手厚い福祉に守られてきた国民に対して、「個人の力」の重要性を強調して「社会などというものは存在しない〔There is no such thing as society.〕」と有名な言葉を残しました。ところが、今度の英国EU離脱《ブレグジット》で発せられたのは「いや、社会は存在している。我々は我々として存在しているんだ」というイギリス国民の叫びだったのではないでしょうか。

自らが世界に打ち出したグローバリゼーションにもっとも苦しめられた結果、旧来的なナショナルな方向へバランスを戻したわけです。

そして、グローバリゼーションが進んだいま、先進国の人々は、多かれ少なかれ同じような精神状態に置かれています。フランスもまた同様です。日本は、イギリスほど移民に開かれた国ではありませんが、それでも急速なグローバリゼーションに対する疲れが出てきています。日本では若者たちの志向性が内向きになっていると聞きますが、それも一つの疲れなのではないかと思います。

各国に共通するグローバリゼーションによる疲労、これを私は「グローバリゼーション・ファティーグ」と名付けたい。英語の概念をフランス人の研究者が発明して、それを日本の雑誌が取り入れる。なかなかユーモラスな出来事ではありませんか。

今回の英国EU離脱《ブレグジット》は、おそらく統合ヨーロッパ崩壊の引き金になりますが、それ以上に重要なのは、世界的なグローバリゼーションのサイクルの終わりの始まりを示す現象であるということです。

問題はポピュリズムではなくエリートの無責任さ

英国EU離脱《ブレグジット》に象徴される大衆の抵抗を「ポピュリズム」という表現で説明しようとする向きもありますが、私はむしろ「エリートの無責任さ」こそが問題を理解するキーワードだと考えています。

どんな社会でもエリートは特権を持っています。しかし、同時に社会全体に対して責任を負うべき立場にあります。ところが、最近では指導者たちが自分の利益のみを追求するようになっている。ポピュリズムよりも、そうしたエリートの無責任さこそが問題です。

ポピュリズムといえば、フランスの国民戦線〔FN〕とよく比較される英国独立党〔UKIP〕が想起されます。UKIPが今回のEU離脱キャンペーンで少なくない役割を果たしたことは事実ですが、それでも注目に値するのは、ボリス・ジョンソン前ロンドン市長に代表されるエリート層の一部が民衆側とともに離脱を叫んだ点です。

イートン校、オックスフォード大学出身のジョンソンは、英国王室にも連なる血筋の持ち主で、紛れもないエスタブリッシュメントの一員です。そんな彼がエリート層の少数派として民衆側についた。政権与党である保守党議員の半分ぐらいがEU離脱派に名を連ねた。だからこそ、イギリスはポピュリズムから免れつつあるのです。日本で言うならば、たとえば東大法学部を出た超エリートが自分の階層のエゴイズムを超えて民衆の側に与し、それによって民衆的な政治運動をポピュリズムの罠から救い出すようなものです。

これが、私が羨望してやまない、国家の自己改革のために登場するリーダーの姿です。イギリスには、常にウィンストン・チャーチル、あるいはボリス・ジョンソンのような政治家が体制内にいます。フランスにとって大いに問題なのは、エスタブリッシュメントの中から、大衆の利益をあえて引き受けるエリート少数派が出てこないことです。

私は常にアンチ・ポピュリストです。そして、フランスのエリートたちが理性的《リーズナブル》立場に立ち帰るようにと願って戦ってきた自負があります。しかし、フランスの国立行政学院などのグランゼコールは、たしかに優秀ではあるけれども、尊大で他人を見下すようなエリートをコンスタントに輩出しています。現代のフランスが、今後イギリスのように新しいリーダーを生み出せるのかどうか、私には自信が持てません。

日本のリーダーはどうでしょうか。あいにく私は十分な判断材料を持ち合わせていませんが、是非そうした観点から、政治家の評価を再点検してみてください。

EU崩壊はどのように進むか？

では今後、EU、そして世界はどう変化していくのでしょうか。

EUに関しては、離脱を問う国民投票がドミノ倒しのように拡がるというシナリオよりも、EUがそれぞれの加盟国の要求を拒否しにくくなったことの方が影響としては大きいのではないかと思います。具体的には、移民や金融システムなどの規制やルールをめぐって、イギリスがそうしたように、特定の国が「自分たちの要求が満たされなければEUを出る」と主張することが予想されるからです。加盟する二七カ国が相談なしにそのような態度を取ることになれば、明らかに統合ヨーロッパ崩壊の扉を一つ開けることになります。

スコットランドは分離独立しない

また、英国EU離脱《ブレグジット》を機にスコットランドが連合王国から独立して、独自にEUに加盟するとの説を唱える人もいます。しかし、これはヨーロッパ諸国の怒りや苛立ち、腹いせといった感情から生まれた類いのものであって、日本人は騙されてはいけません。メタファーとして言うのならば、ＥＵは沈没しつつある大きな船です。イギリスがその船から脱出することに決めたのに、なぜ再び沈没する船内に戻ろうとするのか。それはまったくの不条理です。ＥＵ各国もスコットランドの独自加盟を温かく迎えようとはしないでしょう。カタルーニャ地方に分離独立派を抱えるスペインのような国は、拒否権を発動させる可能性すらあります。

そもそも、スコットランドがロンドンに対して不満を抱いていた大きな理由は、その緊縮財政にありました。ところが、ベルリンの支配下に入ればより徹底した緊縮財政を強いられることになる。ましてやＥＵに加盟する小国になれば、自らの決定権を喪失したギリシャが悲惨な運命をたどったのと同じように、真の独立など望めません。どちらがマシな選択であるのか、スコットランドの人々も早晩気づくはずです。

仮にスコットランドが英国から独立してＥＵに入るためのプロセスを徹底して突き進むのだとしても、ゴールに到達するより先にＥＵが崩壊しているでしょう。

二つのシナリオ――ネイション回帰か？　グローバリゼーションの荒波か？

一九八〇年代に幕を開けたグローバリゼーションの時代が終わりを告げるのだとすれば、

その先には一体どんな世界が待っているのか。これは非常に難しい質問です。ソ連の崩壊、あるいはアラブの伝統的な政治システムの終焉といった「終わり」を予想することは、私がかつてしたことですが、それは比較的易しい。ところが、新しく生まれてくる世界は、そう簡単には言い表せません。

一般論としては、大きく分けて二つのシナリオが考えられます。

一つ目は、EUを離脱するイギリスの目論見が成功して、世界各国のエリートがもう少し穏当になり、国民国家の再構築に着手していくケースです。その場合、相対的に温和で平和な世界になるでしょう。もちろん各国間の貿易はあるし、移民もある。しかし、それぞれの関係がある程度コントロールされて、受け入れ可能なレベルで行われることになります。また、国民のものとしての国家の再興《ルネッサンス》によって、あまりにも大きな格差は解消されるはずです。

もちろん、そうではないシナリオも可能性としてあるでしょう。世界の主要な国々において、エリートたちが新しい状況への適応を拒否する場合です。経済的な競争はますます激化して、移民問題も悪化してくる。さらなるグローバリゼーションの荒波に人々がさらされることになります。彼らは不安定で不安な状況で暮らすことに耐えられず、いくつかの野蛮な現象が起きてくるだろうと思われます。ここフランスでは、エリート層が国全体に対する責任を担《にな》おうとしていないために、極右勢力が擡頭し、国民自身も気付かないうちに、ポピュリズム的な風潮がはびこる状況へと堕落しつつあります。

そして、私が何より心配しているのは、隣国ドイツの不均衡な社会状況です。人口学的に見ると、ドイツは日本と同じぐらい出生率が低く、つまり老人の多い国です。しかしながら、彼らは力への渇望、支配する欲望を決して諦めていない。そのために大勢の移民を引き寄せることで国力を維持しようとしています。ドイツ経済の建て直しのために、失業に悩むスペイン、イタリア、ギリシャ、そしていずれはフランスの熟練労働者の若年層を取り込もうとする夢想までが見えてくる……。そうした若者の母国は、ドイツによって強いられている緊縮経済政策によって大いに疲弊しているわけですが。ドイツはさらに中東から単純労働者まで引き入れているのです。

人口構成が不均衡なドイツは、端的に言ってヨーロッパに不安定をもたらす存在に他なりません。そして、先ほど述べた、各国のエリート層が「無責任さ」を改め、国民に配慮する行動に向かうことを妨げている要因にすらなっています。

世界で最も重要な大国アメリカは、二つの仮定のどちらに向かうのか。現時点ではわかりません。イギリスとともにグローバリゼーションを牽引してきたアメリカでは、ドナルド・トランプが支持を得て共和党の大統領候補に指名されました。これも英国EU離脱《ブレグジット》に通じる現象です。彼らは、国家としてのアメリカの再建を夢見て、グローバル化の言説からの自己解放を要求しているのです。

ただし、問題は共和党のトランプが勝つか、民主党のヒラリー・クリントンが勝つか、という単純な話ではありません。トランプが自由貿易や移民を制限する孤立主義的な方向性を追求している一方で、クリントンはヒト・モノ・カネの移動を徹底して自由化するグローバル世界のエリートを代表し続けるという構図が一般的な理解でしょう。しかし、大きく時代が変化するときには社会全体、そして政治勢力のあり方もガラッと変わるのです。「グローバリゼーション疲労」に影響されるのは、片方の陣営だけとは限りません。共和党が移民排斥的な色合いを弱めるかもしれませんし、民主党はサンダース的な「反格差」の主張を部分的に取り入れるかもしれません。一九八〇年代のアメリカが新自由主義の方向に舵を切ったとき、保守もリベラルも一緒に新しい方向へ走ったことを思い出しましょう。

英国の「目覚め」に続け！

一七世紀以来、世界の経済史、政治史は、アングロサクソン世界の二カ国によって推し進められてきました。とりわけ英国の果たしてきた近代化リーダーとしての役割は、過小評価されるべきではありません。

イングランドから始まった産業革命は、欧州全体を経済的に一変させました。そして、一六八八年には名誉革命によって議会主義の君主制が確立されました。欧州各国で採用されている、近代的な民主主義の出発点はイギリスにあったのです。一七八九年のフランスの革命家の夢と目的は、政治的近代化のモデルである英国に追いつくことにありました。そのイギリスが、自ら先鞭をつけたグローバリゼーションの流れからいち早く抜けようとしている。イギリスの国民国家への回帰は、歴史的にも最重要の段階であると言えます。

私は長期的には楽観主義者ですから、近代国家の再擡頭というモデルについて、いかなる疑いも持っていません。イギリスに続く「目覚め」が、フランス、そして欧州各国で起きることで、ドイツによる強圧的な経済支配から「諸国民のヨーロッパ」を取り戻せるはずです。それこそが欧州に平和をもたらす、妥当だという意味で理性的な解決策であると私は確信しています。

3 トッドの歴史の方法——「予言」はいかにして可能なのか？

芦ノ湖畔　山のホテルにて収録
二〇一六年一月二三日・二四日

歴史家トッドはいかにして誕生したか？

トッドとは誰か？

『シャルリとは誰か？』（原著／二〇一五年五月刊、邦訳／堀茂樹訳、文春新書、二〇一六年一月刊）は、言わば自分のこれまでの長年にわたる仕事の一つの「結論」でした。これまでの四〇年近い研究生活の成果をすべて注ぎ込みました。通常、そうしたタイプの本を書いた人間は、書き上げた後に死ぬものです（笑）。結果的に、あの本は自分で自分を定義する本で、私は自分とは何かを示すような本を書いた、ということになると思います。

社会科学の本ですが、同時にパーソナルな本とも言えます。ひと月で一気に書き上げたこととも関係しますが、私の人生の総体が丸ごとあの中に入っています。自分の家族の系譜（ユダヤ人の系譜）にも触れましたし、きちんと読んでもらえば、私が誰であるかが分かる本で、これは、私の他の著作ではなく、あの著作だからこそ言えることです。

ただ、いずれにしても、これまでの自分の人生を振り返ってみると、私は、自分が何者であるか、自分の研究や活動がどういう意味をもっているのかについて、あまり意識することはなく、内省的に深く考えることもほとんどありませんでした。

一体、自分は何者なのか？　講演会などで、私は、その時々によって、「歴史家」「人類学者」「人口学者」「社会学者」「家族人類学者」「歴史人口学者」などと紹介され、それはそれで良いのですが、ただ、「哲学者」と紹介されてしまうときには、必ず「哲学者ではありません」と訂正します。というのも、そもそも私は哲学を専門に研究したことはありませんし、自分の方法は、単に経験主義だからです。これは私の推測にすぎませんが、おそらく私の経験主義は、日本では受け入れやすいアプローチではないでしょうか。一般的に日本人は、かなり経験主義的に見えます。

とにかく「歴史家になりたい」と思った

とにかく私は、一〇歳のとき、「歴史家になりたい」と思いました。なぜかはよく分かりません（笑）。

考古学の本を読み始め、その面白さに強く惹かれ、太古について、とくに古代エジプトなどについて、「こうだったのかな？　ああだったのかな？」とあれこれ想像するのが楽しくて仕方ありませんでした。当然、古代ギリシャや古代ローマの歴史にも関心が広がって、小さな男の子は戦争が大好きですから、とくに戦争を通して歴史の世界に引き込まれていきました。当時、幼友だちとよく話したものです。知的、倫理的な高い価値などに子供は見向きもしませんから、古代ギリシャのスパルタとアテネの対立に関して言えば、私は熱烈なスパルタ贔屓でした（笑）。研究者として晩年を迎える今となっては、人類にとってどちらが大事かと言えば、もちろん「アテネだ」と答えますが、小さな子供はスパルタの方がすごいと思い、とくに軍事力の強さに惹かれるものです。ローマの軍事力にも魅了されました。ローマ史上最強の敵として後世まで語り伝えられたカルタゴの将軍ハンニバル〔紀元前二四七―紀元前一八三／一八二〕も好きでした。これが幼い頃の記憶ですが、それが何であったか、何を意味していたかは、うまく説明できません。

つい先日、自宅の地下室で壊れかけている、中学生初年度だった頃のノートを見つけたのですが、そこにはシリアの地図が描いてありました。古代文明の地図で、上手ではないのですが、いわば、当時の私の情熱が込められた地図でした。ところが、中学の先生がこの地図を馬鹿にして笑ったのですよ。私にとって最初の傷でした。『シャルリとは誰か？』に対する世間の侮辱よりも深刻でした（笑）。

とにかく歴史というもの、歴史の観察というものに子供の頃から強く惹かれてきたのですが、ひとつ断言できるのは、これまでの人生で、私は哲学的なア・プリオリ、先験的な観念に興味を覚えたことは一度もなかったということです。

典型的なフランス知識人ではない――哲学嫌い

「人間とは何か？」「国民とは何か？」という問いを立てるのは「フランス的思考」の特徴ですが、この点、私自身は典型的なフランス知識人とは異なります。観念的問いから出発して物事を考えたことは一度もありません。

フランスの高校には哲学の授業があります。しかし、私は好きでもないし、成績も悪く、哲学の教師を困らせていました。授業に出ても退屈なので、ソ連の国旗を机の上に置くなどしてふざけていたのです（笑）。逆に数学は非常に得意で、成績も良く、熱心に授業に出ていました。学生の頃から数値への本能的衝動があったようです。

「人間とは何か？」といった観念的問いから出発すれば間違いにしか至らないと、今でも考えています。内省的な思考をいくら繰り返しても、結局、外の現実に触れることはできません。こういう意味で、私はやっぱり経験主義者なのです。

もちろん、私も内省することはありますよ。ブルターニュ地方に持っている小さな別荘に閉じこもり、ソファーに寝転がり、壁を眺めながら、「自分とは何か?」と自分自身の奥底を見つめようとすることもあります。そこで何が見つかるか?　何も見つかりません(笑)。あるのは、ただ空白のみ。本当に何もないのです(笑)!

なぜ知的なエラーが起きるのか?　いきなり「人間とは何か?」と自問して、観念から出発するから歴史を見誤ってしまうのです。そうではなく、まず無心で歴史を見る。すると、むしろ歴史の方が「人間とは何か?」という問いに答えてくれます。何よりも歴史を観察することが大事です。私自身も、学生の頃から数えれば、歴史の研究を四〇年、五〇年と続けてきたわけですが、こうした長い歴史観察の果てに、ようやく「人間とは何か?」という問いの答えが出せるようになるのだと思います。何十億もの人類がどう生きてきたか、どう活動してきたか、その多種多様なあり方を虚心坦懐に観察して初めて、「人間とは何か?」についての何らかの一般命題に到達するのではないでしょうか。

『菊と刀』で日本でもよく知られているアメリカの人類学者のルース・ベネディクト〈一八八七―一九四八〉も、観念や概念ではなく、実際の社会や歴史の観察から出発しています。『文化の型』の冒頭にそのことが述べられています。

歴史人口学との出会い

実際、大きな計画を最初に立てて研究を始めたことはありません。今のような研究をするようになったのも、ほとんど偶然です。

ソルボンヌ大学の学部生の頃、単位を取る必要から、たまたま「歴史人口学」という科目に登録しました。

そこで出会ったのが、ジャック・デュパキエ〔一九二二―二〇一〇〕という非常に才能豊かな先生でした。フランスの偉大な歴史人口学者の一人で、非常に授業がうまかった。彼はさまざまな資料を配布してくれました。私はそれに釘づけになりました。たとえば、一八世紀フランスの農民の生活を具体的に想起させるような資料です。

とにかく、歴史人口学の授業が面白くて仕方がなかった。歴史人口学は統計を扱う学問ですから、数学好きだったということも手伝ったのだと思います。ちなみに当時は、そんなに強くはなかったのですが、チェスにもかなり入れ込みましたよ。

それから、父〔オリヴィエ・トッド、一九二九年生、ジャーナリスト、著書に『アルベール・カミュ――ある一生』など〕の友人であり、アナール派を代表する歴史家の一人で、私にとっては「精神的父」と言えるエマニュエル・ル＝ロワ＝ラデュリ〔一九二九年生〕

の勧めにしたがって、イギリスに留学しました。イギリスへの留学は家系の伝統に則ったものでもありました。そしてケンブリッジで、偶然にも、著名な歴史人口学者のピーター・ラスレット〔一九一五―二〇〇一〕に師事することになったのです。

数値の「比較」から「社会の多様性」へ

こうして歴史人口学の世界に入っていき、そこに面白味と喜びを感じたのですが、それは「テクニカルな喜び」でした。住民の人口の動きを探り、当時の家族や親戚関係のあり方を再構成すること自体が面白かったのです。歴史哲学や歴史についての一般的な思想に興味をもったわけではありません。

ケンブリッジでは、ずいぶん不幸な日々を過ごしました。若くて、臆病で、内向的だった当時の私が自分の問題を解決するに相応しい場所は、間違っても一九七〇年代のイギリスではありませんでした。というのも、当時のイギリスは経済の停滞した暗い社会で、人々も内向的だったからです。

そこで、他の国々にデータや資料を探しに出かけました。こうして私は、自ずと「比較学者」になったわけです。ケンブリッジで鬱々としていただけに、楽しく快い場所に足を運びました。たとえば、イタリアのトスカーナ地方。フィレンツェは美しい街で、ケンブリッジで勉強するのと、フィレンツェで勉強するのは、比べようもありません（笑）。もちろんケンブリッジにも独自の美しさがありますが……。

いずれにせよ、フランスのブルターニュ半島へ、さらにはスウェーデンなどへ、資料を探しに出かけ、トスカーナ地方、ブルターニュ地方、フランス北部、スウェーデン南部のそれぞれの農村をいくつかのテーマや指標に注目して比較し、論文にまとめました。こうして「比較」が自分の研究手法になっていったわけです。

「比較」とは、まずは数値や統計の処理です。これを押し進めていきますと、もう一つ上の段階に至ります。各地方の数値の比較を通して、社会は多様であるということに気がつくのです。いたるところに人間はいるが、そのあり方は多様であるということ、人間集団ごとに違いがあるということが見えてきます。すると、純粋な数値の処理という狭義の意味でのテクニカルな問題を超えて、さらに大きな「比較」が可能になってきます。

とはいえ、出発点に、人間集団の多様性を見つけようとか、社会を比較しようとかいった意図があったわけではない。研究の必要上、自ずから「比較」という方法へ導かれ、研究を続けていくうちに少しずつ、より大きな展望が開けたのです。

単に数学が好きで、「数値」から出発しました。「数値」はもともと「比較」を前提にしているものですから、必然的に「比較」へと導かれる。こうして「比較学者」になったのです。

歴史は目に見えるものではない

歴史の現実は肉眼だけでは見えません。フィールドワークで現場に足を運んだからといって、それで社会の歴史的変化を捉えられるわけではないのです。

あえて言えば、「歴史は目に見えるものではない」というのが、歴史家としての私の確信です。乳児死亡率も、出生率も、自殺率も、識字率も、目に見えるものではありません。歴史の趨勢を教えてくれるのは、むしろそうした数値なのです。

大陸の観念論を嫌う家風

もともと私は、哲学的思考、人間一般についての考察に興味がありませんでした。これは、フランス人としてはあまりノーマルなことではありません。なぜそうだったのか。

私は数学や物理が好きで、理系中心のクラスに所属していました。

それに加えて、私が自分自身の家系から引き継いだものがあります。フランスとドイツの哲学に対する敵愾心です(笑)。私には、父側と母側の二つの系譜があります。

父はケンブリッジで哲学を学びました。さほど優秀ではなかったのですが(笑)。いずれにせよ、論理実証主義が盛んだった当時のイギリスで、フランス・ドイツとは異なる哲学を学んだのです。ラッセル〔一八七二―一九七〇〕、ヴィトゲンシュタイン〔一八八九―一九五一〕らの分析哲学者が大いに輝いていた時代です。大陸哲学〔フランス・ドイツの哲学〕への憎しみのなかで私は育てられたのです(笑)。

アルフレッド・エイヤー〔一九一〇―一九八九〕の『言語・真理・論理』という本があります。エイヤーは論理実証主義の代表者ですが、彼が一九三六年、まだ二〇代だった頃に書いた本です。父からもらって、英語を学ぶためにケンブリッジで読んだ本のひとつですが、カントやサルトルといった大陸哲学を徹底的にやっつけています。小さな本ですが、破壊力抜群の傑作です。自分にとっても、自分の父にとっても、「バイブル」と言える本でした。しかし、ジャーナリストとしては優秀だった父が、果たしてこの本を理解できていたかどうかはわかりません(笑)。おそらく一種のスノビズムもあったのでしょう。

私の家族には、父にまつわる有名なエピソードがあります。ケンブリッジで哲学の小論文を書かなければならなかったのですが、「単純な数学的例を取り上げよう」と父は書いたらしく……「222×333=666」と（笑）。

私は大陸哲学、観念論に敵対的なそういう環境で育ったので、枕頭の書の一つにしているのはバートランド・ラッセルの『西洋哲学史』です。自分の子供にもこの本を買い与えました。よい文章で書かれていて、皮肉が効いています。今でも時折、断片を読みますよ。

言葉への警戒心

そもそも哲学に詳しくはないのですが、ある意味で私は、哲学に関してネガティブな教育を受けたと言えるかもしれません。かなり若い頃から、言葉そのものに対して警戒心がありました。言葉の羅列はしばしば何の意味も持っていない、ということを意識していたのです。フランス人の多くは私のようには育てられていないと思います。

他方、私の母はとても知的で、厳格な知性の持ち主でした。「何も言わないために喋る〔parler pour ne rien dire〕」という表現がフランス語にありますが、そういう喋り方をする度に母に指摘され、冷や汗をかきました。「何も言うことがないから、そんなお喋りをしている」と。まさに去勢される思いでした。母は英語も話しましたから、英語で「それはカテゴリーミステイクだ」とも。そういう母にきつく躾けられ、哲学というもの、言葉というものについてネガティブな厳しい「調教」を受けたわけです。このようにして若くして私は、経験を尊重するということ、現実というのは自分の外にあるということを意識しました。

母の父、私の祖父はポール・ニザンですが、ニザンについても少し触れましょう。『番犬たち』〔ポール・ニザン著作集第二巻、海老坂武訳、晶文社〕という有名な本があります。当時のフランスのアカデミックな哲学に対する攻撃文書です。冒頭に、フランスの大学の哲学教授の美しい概念を連ねただけのテクストと、過酷な待遇に反抗するフランスの囚人たちのことを報じる新聞記事の引用が並べられています。二つの対照的なテクストを対置しているのです。それもまた、私が母から受け継いだものに通じていて、ニザン譲りのエスプリと言えるかもしれません。

つまり、私の家庭は、父方のイギリス的伝統〔たとえばオリヴィエ・トッドの祖母、ドロシー・トッドはイギリス人で、一九二〇年代に『ヴォーグ』誌の編集長を務めた〕と、ニザン風マルクス主義が合流する場だったのです。そこで醸成されたのが、哲学や一般的概念に対する敵対姿勢なのです。

イギリスで発見した自分のフランス人性

私は紛れもないフランス人ですが、「学問的にはイギリスの方がフランスよりも優越している」と考える家庭環境のなかで育てられました。イギリス哲学、つまり「哲学は存在しない」とするイギリス哲学の方が、ドイツ、フランスの大陸哲学より優れているという「偏見」です。

それでイギリスに留学したのですが、イギリスで第一に発見したのは、皮肉にも、自分は完全にフランス人だということでした（笑）。イギリス人の社会的なヒエラルキー感覚に強いショックを受けたのです。「これは酷すぎる」と。そうして自分自身の内に平等を重んじる「フランス人性」の存在を自覚しました。

当時、私はまだ二〇歳くらいだったのですが、ケンブリッジのトリニティカレッジの寮には部屋掃除のために家政婦さんが来てくれていました。なかには高齢の方もいました。彼女らが若い学生にすぎない自分に向かって「サー〔Sir〕」と呼び、敬語で話すのです。これは、私にはとんでもないことで、フランス的な平等原則が捻じ曲げられるような思いを味わいました。私はむしろイギリスで、フランス的な平等のセンスが自分のなかに埋め込まれていることに気づいたのです。

歴史家に必要なこと

歴史家にとって何よりも大事なのは、まず多くのデータを集めることです。天才的な着想を得ることではありません。

アメリカの歴史社会学者、バリントン・ムーア〔一九一三―二〇〇五〕の『独裁と民主政治の社会的起源――近代世界形成過程における領主と農民』を入手した時のことを思い出します。本を買って、当時の妻とパリのテラスにいたのです。それはイギリス、フランス、ドイツ、日本、それぞれの近代化への移行期を扱った歴史の本で、「ドイツや日本でファシズムが生まれたのはなぜか?」「ロシアや中国で共産革命が起こったのはなぜか?」を主題にしていました。本の中身には納得できませんでしたが、何よりも巻末の文献目録の凄さに感心して、「一生かけても、これだけ膨大な本は読めない」と妻に話したことをよく覚えています。

しかし、あれから数十年、私はその文献目録以上の数の本を読んできました。歴史研究にとって重要なのは、多くのデータを集めること、多くの資料を読むことです。

「外婚制共同体家族の分布図」と「共産圏の地図」の一致

とはいえ、私にいかなる価値観も規範意識もなかった、というわけではありません。私は一時期、共産主義者だったのですからね。しかも四人の祖父母のうちの三人までが共産主義者だったのですよ。

しかし、私が発見してきた各社会の「違い」は、そうした価値の意識とは無関係な科学的事実です。歴史人口学は統計的な変数を分析します。そうした数値の比較を通じて、倫理的な目論見とは関係なしに、ある「発見」に至ることがあるのです。たとえば、家族構造とイデオロギーおよび経済体制の関係に思い至ったのは、「外婚制共同体家族」の分布と「共産主義勢力」の分布がほぼ一致するという発見がきっかけでした。

ある日、後に母から相続することになるアパルトマンのソファーに寝転がっていたところ、「外婚制共同体家族の分布図」と「共産圏の地図」とが突如、重なったのです！　まさに啓示でした！　私は何らかの目論見からこの二つを重ねようとしたのではありません。とにかく「二つが一致する」ことを突如、発見したのです。「科学的発見」とは、こういう性質のものです。「イデオロギーの分布を家族構造から説明する」という私の方法論も、この発見が出発点となりました。

仮説の検証――『第三惑星』

この発見の後、半年かけて、パリの人類博物館の図書室に閉じこもり、地球上の家族構造を分類し、自分の直観が正しいかどうかを検証しました。「農村社会の家族構造によって近代以降の各社会のイデオロギーを説明できる」という仮説が本当に妥当するのかどうか、神秘を前にするような不安のなかで、一つ一つ検証していったのです。私の仮説を無効にしてしまう家族構造が、いつどこから現われてきても不思議ではありませんでしたけれども、ヨーロッパの中心部から南部へ、アジアからラテン・アメリカへと解読作業を進めるに連れて、この仮説が強力に機能していると確信していったのです。

こうして一年で構想し、執筆したのが『第三惑星』〔その後『世界の幼少期』と共に合本化され、『世界の多様性』として出版された〕です。

家族構造で説明できる共産主義

実は、共産主義革命は、プロレタリアート〔労働者階級〕を有する工業先進国では一度も実現していません。プロレタリアート主導による共産主義革命というマルクス主義の仮説は、事実によって否定されているのです。実際の革命はむしろ、資本主義化以前の段階にあった「外婚制共同体家族」の社会で生起しました。

たとえば、タイで共産主義が力をもてなかったのはなぜか？　私の仮説ではこれをうまく説明できます。タイの家族構造〔一時的母方同居を伴う核家族〕は、共産主義が力をもったベトナムのそれ〔外婚制共同体家族〕と異なっているからです。

また、「核家族型」のポーランドや「直系家族型」のチェコでは、共産主義からの離脱が比較的スムーズに進みました。これは、双方とも、もともと共産主義が家族構造という人類学的基底に反して押し付けられた地域だったからだと考えられます。

逆にロシアや中国は、実質的に従来の共産主義から離脱しているわけですが、もともと「外婚制共同体家族」である以上、その影響を完全に無化できるとは考えられません。市場経済に転じたといっても、それらが独特の形態をとる可能性やさまざまな困難に直面する可能性があるのです。

「科学的発見」に議論の余地はない

しかし、誤解のないように繰り返しますが、「外婚制共同体家族の分布図」と「共産圏の地図」の一致という発見で、私はどんな倫理的な目論見も果たしたわけではありません。科学者として知的満足を味わっただけです。たとえば、こういう「大発見」をした私に仮に誇大妄想が許されるとしても、「私はヘーゲルだ！」とは言わないでしょう。むしろ「私はニュートンだ！」「私はパスツールだ！」と言います（笑）。つまり、科学者としての「大発見」なのです。

「科学」を強調する私のあり方とは、一方では「謙虚な態度」です。しかし他方では、「強硬な態度」とも言えます。というのも、科学の法則である以上、私の発見もニュートンの法則のように、反証が現れないかぎりは一つの例外も許さず、議論の余地などないからです。問答無用なのです！　これが私がときどき口にする「科学の強引さ」です。科学者とは実に不躾なやつなのです（笑）！　強引といっても、当たっているか、当たっていないかという科学の問題においてであって、価値は関係ありません。

ところで、科学の発見であれば、私ではなく、他の人でも証明できます。「誰でも証明できる」というのが、「科学的発見」の定義でもあります。

だからこそ、「真実」を発見した私は、『第三惑星』を超特急で出版しました。他の人に先を越される可能性があったからです（笑）！

「科学的発見」は拒まれることもある

『第三惑星』は、私の人生にとって転機となった本でした。わずか三〇歳で「大発見」をしたわけですから（笑）。ところが、ほとんど理解されず、ぼろくそに攻撃されました。家族という概念をカギにしていることから、「保守反動的」だとか、「人種主義的」だとか、「決定論的」だとか非難されました。全体として議論の余地のない事実なのにね。人は、事実を突きつけられることを必ずしも好まないのです。

急いで執筆した不完全な本ではありましたが、一つの根本的な説明原理を発見したと確信していた若い研究者にとって、これはかなり辛いことでした。『シャルリとは誰か？』に対する周囲の敵意も、『第三惑星』に対する敵意の反復のように感じます。

自然科学者にしろ、社会科学者にしろ、科学者の夢とは何か？　それは「見つけること」です。自分の外にある事実を「発見」することです。けれども、そうして「発見された事実」は時に人々に拒まれます。かつて、地動説が天動説によって拒まれたようにね。

「人間の自由」を否定しているのか?

『第三惑星』に向けられた主な批判は、下部構造としての家族構造と上部構造としてのイデオロギー形態をかなり機械的に結びつけるモデルの「決定論」に対するものでした。人間が自分で意識していないものによって決定されているなどあり得ない、決定論で人間の自由を否定するとはおぞましい、と非難されたのです。

しかし私の「決定論」は、システムとシステムの間の統計的な相関関係を示唆するものにすぎず、個人レベルでの絶対的な拘束力を意味していません。家族構造は、一定の割合の人々が特定の行動パターンをとるように予め条件づけているものであり、特定の個人を拘束するものではありません。にもかかわらず『第三惑星』は、人間の自由を否定する決定論だと非難されたのです。

それから三〇年以上後の『シャルリとは誰か?』に対しても、トゥールーズのあるセミナーで面と向かってこう言われました。「けしからん! エマニュエル・トッドは人間の自由を侮辱するのか!」と。まったく同じことの繰り返しです。

ただ、たとえフランスの首相から何を言われても〔『シャルリとは誰か?』発売日に「ここに書かれている論はもはやフランスを信じていないシニシズムだ」と断じるヴァルス首相の長いコメントが『ル・モンド』紙に掲載された）、すでに一つの仕事を成し遂げてそれなりに評価されている六四歳の学者にとっては、どうでもいいことです。しかし、まだ何も成し遂げていない三〇代前半の若い一研究者にとっては、そうではありませんでした。

「自由」をめぐるパラドクス

『第三惑星』に対する拒否と『シャルリとは誰か？』に対する拒否は、同じ性質のものです。『第三惑星』を書いたのは一九八三年。『シャルリとは誰か？』を書いたのは二〇一五年。三〇年以上経過しているのですが、まったく同じ経験をしました。

ところが世界には、私の発見を容認してくれる国、それどころか喜んで受け入れてくれる国があります。それが日本です（笑）。

ここに、「自由」をめぐる一つのパラドクスがあります。最近、「自由主義〔リベラル〕の社会は本当に自由〔リベラル〕なのか？」ということを考えます。『シャルリとは誰か？』の刊行から数カ月間、私はフランスのメディアで沈黙を貫くことになりました。刊行前から予想はしていましたが、「私はシャルリ」デモに関する事実を指摘した著作に対する反発は想像以上で、「自由」を重んじているはずのフランスで、自由にものが言えないという状況を初めて経験しました。強迫観念化した「自由」が、人間の自由に反するとされる科学的事実の受け入れを拒否させるのです。

私のモデルや仮説は、フランス北部、イギリス、アメリカといった自由主義に親和性をもった社会よりも、むしろ日本やフランス南西部といった権威主義に親和性をもつ社会での方が違和感なく受け入れられることを、私は経験的に知りました。フランス、イギリス、アメリカと比較すれば、日本社会は「自由な〈リベラル〉文化」ではなく、ヒエラルキーの社会です。年長者と話をするときには気を遣うなど、何でも好きなことを率直に言えるわけではない。しかし、そうした日本の人々の方が、私のモデルをスキャンダル視することなく受け入れてくれるのです。

「自由主義」の不自由さ

政治や経済などさまざまな面で、フランス、イギリス、アメリカは、より自由主義的です。なぜそうなのかと言えば、彼らの家族構造がそう促しているからです。言い換えれば、「自由」を「強制」されているのです。「絶対核家族」のアングロサクソン世界の平均的個人は、予め「自由」に向かうよう決定づけられており、権威主義を許されていません。イギリスでは、ファシストになりたくても、ファシストになるのは難しい（笑）。共産主義者であることも難しく、もし共産主義者だったら、気が狂っていると思われてしまう。彼らは、家族構造のゆえに自由なのです。「自由である」というより、「自由でないことができない」のです。

私のテーゼは、「自由」というものをこのように位置づけるため、「絶対的自由」の観念と真正面から衝突します。「自由」という観念にこだわる社会の人々ほど、決定論を嫌い、家族構造によって「自由」へと決定されていることの意識化を拒否するのです。自分がなぜ自由なのかを自覚できないのです。それに対して、「自由」が強迫観念になっていない日本のような権威主義的社会の方が決定論を受け入れやすいわけです。

『新ヨーロッパ大全』〔2分冊、石崎晴己・東松秀雄訳、藤原書店〕の邦訳が出て、一九九二年に初めて日本に来ました。

未知の社会に期待と不安の入り混じる心境だったのですが、家族構造が政治的行動を決定するという私のテーゼは、日本ではスキャンダル視されることなどなく、まったく自然に受け入れられました。自分の行動は家族をはじめとする周囲の社会環境に大きく規定されている、という意識が日本人にはあるからです。日本で最初の講演を終えると一人の聴衆が近寄ってきました。「トッドさんは長男ですか？　次男ですか？」と（笑）。

私は、自分自身のテーゼは真実であると考えています。統計学的に検証できるからです。そして、こういう私のテーゼが日本で問題なく受け入れられているとすれば、フランスよりも、むしろ日本の方が実質的に自由なのかもしれません。つまり、「人間の自由には限界がある」ことを認識できるという意味で、「自由」に対して一定の諦念があるという意味で、日本人は、少なくとも内面的により自由なのです。

そういう能力を今日の西洋人は失っています。「自由」が強迫観念になっている西洋人の方が、歪んだ人間観をもってしまっているのです。「リベラル〈自由主義的〉」と言われる社会は、実はさほどリベラル〈自由〉ではない。これは、先進国のナルシシズムとも関わる問題で、『シャルリとは誰か？』のテーマでもあります。私の現在の主要な問題関心の一つで、一言で言えば、「リベラルな文化の盲目性」という問題です。

マルクスとの違いと共感

歴史を動かすのは中産階級です。『シャルリとは誰か？』も、「私はシャルリ」デモに見られる中産階級の自己欺瞞を問題にしています。

すでに古代ギリシャ時代から言われてきたように、社会に影響を与えるのは中産階級です。社会に安定的な基盤をもたらし、必要なときに外敵を排除できるのは、社会の中間層だと、アリストテレスは指摘しています。

ところで『シャルリとは誰か？』を書きながら意識していたのは、マルクスのスタイルでした。オランド大統領をその象徴とみなして、「ＭＡＺ集合体＝中産階級〔classes Moyennes〕＋高齢者〔personnes Âgées〕＋カトリック教徒のゾンビ〔catholiques Zombies〕」を批判したのは、まったく意識的にマルクスの階級闘争を反復することだったのです。「プロレタリア階級こそ重要だ」というマルクスの考えに対し、「中産階級こそが歴史の鍵を握っている」と私は考えています。その点で、テーゼの中身はまったく異なるのですが、論争的なスタイルは似ていて、『シャルリとは誰か？』のアカデミックではない、攻撃的な書き方は、マルクスを意識しています。少なくとも私としては、あの本は、マルクスへのオマージュのつもりです。大学アカデミズムなどクソ喰らえ、というマルクスの姿勢への共鳴です。

私にとってマルクスは重要な存在です。マルクスは、ドイツ、イギリス、フランスというヨーロッパ文化の三大潮流の交差点に位置し、ヨーロッパ・ユダヤ人の典型です。「マルクス主義」ではなく、そのような存在としてのマルクスが私にとっては大事なのです。

第一次世界大戦は中産階級の集団的狂気

歴史において中産階級が果たした特有の役割を初めて取り上げたのは、『狂人とプロレタリア』においてでした。

この本は、マルクス主義が全盛で、アカデミズムにおいてもマルクス主義の影響力が絶大だった一九七九年に書いたものです。『最後の転落』〔石崎晴己監訳、藤原書店〕の次に書いた二作目でしたが、二作目というものは一作目よりも書くのが難しいものです。今から振り返ると、若書きを恥ずかしいと思うと同時に、誇らしいとも思っています。マルクス主義的もしくは自由主義的な「経済主義」と決別するきっかけとなった本だからです。

デビュー作の『最後の転落』は、一九七六年当時においてソ連システムの脆弱性と崩壊の可能性を指摘した本で、経済的要因を重視した、いわばマルクス的・経済主義的な著作です。しかし、その後、私は精神分析に関心をもち、人間の非合理的な面を重視するようになりました。

『狂人とプロレタリア』では、第一次世界大戦の初期に生じた出来事や現象を取り上げました。一九一四年の戦争は、共産主義でもナチズムでもありませんが、ある種の集団的狂気でした。二〇世紀の世界を荒廃させたヨーロッパの狂気の正体と起源を、私は見定めようと考えたのです。

そこで、『自殺論』を書いたデュルケームに倣い、西欧各国のアルコール依存症や精神疾患の患者数などの統計を用いました。つまり、経済指標ではなく、もっぱら精神状態や心理に関わる指標を使用したのです。すると、自殺率が高くなり、精神疾患やアルコール依存症患者数が増えていたのは労働者階級ではなく、中産階級でした。ノーマルな精神状態にあった労働者階級に対し、中産階級の精神状態が不安定だったのです。つまり、一九一四年の狂気とは、ヨーロッパの中産階級の狂気だったのです。当時のヒステリックなナショナリズムも中産階級の所産でした。

歴史を動かすのは中産階級

繰り返しになりますが、これも演繹によって導き出した結論ではなく、あくまで経験主義的に発見したことなのですよ。デュルケームの『自殺論』の統計を見ても、労働者階級の自殺率は低いことが確認できます。最も自殺率が高いのは金利生活者です。要するに、高い自殺率は、低い所得が原因ではないのです。純経済的要因ですべてが説明できるわけではない、ということです。それ以降、「中産階級こそが歴史の鍵を握っている」というのが私の持論となりました。

中産階級とは、所得や教育水準がある程度高く、階層として一定の規模をもった集団です。この階層が歴史の変動を左右しているのであって、この階層を考察しなければ歴史の現実は見えてきません。中産階級に比べれば、上層の貴族層も、下層の庶民層も、現実社会への影響という点でさほど重要ではありません。現在のフランス社会が閉塞状況にあるのも、中産階級に原因があるのです。

「一％の支配」という超富裕層とそれ以外との格差の問題は、確かに存在します。まったく不公正な格差です。しかし、このことを指摘したからといって、「西洋先進社会は閉塞状況に陥っているのに、なぜみずから方向を変えられないのか？」という問題の説明にはならないのです。この問題を解くには中産階級の分析が不可欠です。つまり、一％の超富裕層の存在を許し、庶民層の生活水準の低化を放置しているのは、中産階級だからです。

私には、中産階級に対する、より上層の者としての優越心も、より下層の者としての憎悪もありません。私自身、中産階級に属しています。「中産階級こそが歴史の鍵を握っている」ということは、歴史を眺めて確認できます。ナチズムは中産階級の現象でした。フランス革命も同様です。日本の明治維新も中産階級に主導されたものだったはずです。上級武士ではなく、下級武士という中間層が中心的役割を担ったわけですから。

歴史の趨勢が見えてくる変数

地域や時代によって社会構造は異なりますから、当然、「中産階級」の定義も厳密には異なってきます。マルクス主義であれば、経済的要因を偏重する定義になってしまう点に問題があります。

私は、雑多なものを組み合わせて仕事をするブリコラージュ屋です。生涯にわたるブリコラージュの学生ですが、私が歴史を見る際に用いるのは、限られた変数だけで、いずれも学生の頃に学んだ変数です。

私は、フランス歴史学のアナール学派の学徒でした。人口の一部ではなく全体に対する関心、歴史上の著名人物へのある程度の無関心、庶民と日常生活への関心が、アナール学派の特徴ですが、その意味で民主主義的な学派と言えます。

そして私が学んだ歴史人口学は、当時、非常に輝かしい学問でした。ルイ・アンリ〔一九一一—一九九一、歴史人口学の創始者〕、ルイ＝ロワ＝ラデュリ、ピーター・ラスレット、トニー・リグリー〔一九三一年生、ラスレットとともに「人口と社会構造の歴史研究のためのケンブリッジ・グループ」を創設〕、ピエール・グベール〔一九一五—二〇一二、歴史人口学の先駆者〕という偉大な先人たちが活躍していました。そういうなかで、「出生率はフランス革命の前に低下し始めていた」といった、心性史への人口学の適用も盛んでした。

当時、もう一つ、大いに進歩した統計的な学問がありました。識字化の歴史学です。フランスの識字化を研究したフランソワ・フュレ〔一九二七—一九九七、フランス革命に関する研究で知られる〕とジャック・オズーフ〔一九二八—二〇〇六、一九～二〇世紀フランス史の専門家〕の『読むことと書くこと』も刊行されていました。

またイギリスでは、歴史家のローレンス・ストーン〔一九一九—一九九九〕が、識字率と革命との関連を研究し、イギリス革命、フランス革命、ロシア革命を取り上げて、革命の前には必ず識字率が上昇していたことを示唆しました。私はこれを「ストーンの法則」と呼び、今でも大いに活用しています。

識字化というのは、実に重要な現象です。どんな社会に対しても何らかの不可逆的な変化をもたらさずにはいないからです。

教育という変数――識字率と高等教育の進学率

しかし、今日の先進国のようにある程度の発展段階に至ると、識字率だけでは社会構造を十分に説明できません。国民の識字化が進んだ後の成熟社会では、高等教育の進学率が重要な指標となります。いずれにせよ識字化、高等教育の進学率、といった教育に関わる指標が鍵を握っているわけです。

教育の普及・発展・停滞が、あらゆる先進諸国で社会構造のさまざまな問題を規定しています。これは、家族構造に起因する社会の違いを越えて普遍的に言えることです。ですから、先進国の社会構造を分析する際には、教育水準こそが最重要の指標となります。

「教育」を重視するといっても、高い教育を受けたから高い能力を得た、という話ではありません。学歴の高い人が優れた人だとは必ずしも言えません。そうではなく、社会構造を分析する際に極めて有効な指標だということです。学歴は「能力を高める機会」と「社会的な身分の保証」の両方を意味しているからです。

ですから、先進国の「中産階級」を定義するとすれば、高等教育を受けた層ということになります。今日の「中産階級」とは、高等教育によってつくられた新しい階層なのです。中産階級がどうなるかが歴史の帰趨を決します。マルクスはこの点を見誤りました。プロレタリア階級の勢力が増しても、何も起こらず、歴史は動かなかったのです。イギリスでも、フランスでも、ロシアでも、革命は、「ストーンの法則」の通り、中間層の識字率が高まることによって起きたのです！「アラブの春」も、中国の革命も同様です。

人類の多様性と普遍性

私の研究は、対立する二つの考え方の対話＝緊張の間にあります。一つはイギリス型の文化相対主義で、もう一つはフランス型の普遍主義です。

まず私にとって、イギリス的な文化相対主義は、歴史的な家族形態を分類し、それを政治的・経済的な動きと関連づけ、世界の多様性を理解する、という形で具体化します。

他方で、歴史を見る際、私は常に「教育」の進展に注目してきました。「教育」の重要性は文化の違いを超えて人類に共通です。これはフランス的な普遍主義の見方と言えます。人類の歴史を教育と知識の進展という観点から捉えるのです。まさに啓蒙思想家の一人、コンドルセ〔一七四三―一七九四〕の『人間精神進歩の歴史』です。

私は世界に存在する多様な家族システムを分類・分割しますが、通常行なわれる分類・分割とは、やり方を異にします。私の分類・分割は、「分ける」というより、むしろ「一緒にする」オペレーションです。普通は「別」と思われているものを「同じ」と見なすのです。

たとえば、極東の日本の家族システムと、ドイツ、スウェーデン、フランス南西部の家族システムを「同じ」と見なすわけですから。西洋では、日本をまったくユニークで特殊な存在として扱うのが一般的ですが、私はそうではない。「同じ」で少しずつ異なる人間集団がヨーロッパにもアジアにも存在するということです。「日本社会の差異」を捉えるにしても、その差異を「本質化」するわけではないのです。

最初の来日の際、自分とほぼ同世代の招聘元の担当者と初めて話した時のことをよく覚えています。私は彼にこう話しました。「通常、日本はまったく特殊な社会だと言われているが、家族システムを研究する私にとっては、日本はドイツやスウェーデンと同様にまったくノーマルな直系家族の社会だ。そのことを自分の目で確かめるために日本に行きたい」と。そして実際に日本を訪れて、自分の考えは正しいと確認できました。

このように、私の家族システムの分類・分割は、個々の集団を特殊なものとして扱うよりも、むしろ他の集団との共通性を示唆する機能をもっています。差異に注意を払いながらも、人類の歴史を普遍的な視点から捉えているわけです。

このような私の姿勢は、フランスのル・プレイ〔一八〇六―一八八二〕、あるいはイギリスのアラン・マクファーレン〔一九四一年生〕の考え方を引き継ぐものです。

マクファーレンは、イギリスの個人主義と核家族との関係を研究し、『イギリス個人主義の起源』という本を出しました。すばらしい本です。私の博士論文の指導教授ではなかったのですが、マクファーレンもケンブリッジ大学の先生でした。ちょうど私が『第三惑星』を執筆する前で、ケンブリッジからフランスに戻ってすぐに『イギリス個人主義の起源』を絶賛する書評を『ル・モンド』紙に書いたことをよく覚えています。

マクファーレン自身がイギリス人の典型ですが、この本で彼は、イギリス人のユニークさを引き出すことに成功しています。その一方で、彼はヨーロッパ大陸はすべて「同じ」という風に扱っています。彼にとっては、ポーランドもロシアも同じなのです！

いずれにせよ、マクファーレンの仕事から多大なインスピレーションを得ることで、私自身の研究領域を拡げることができました。そうして、ヨーロッパの中にもさまざまな家族形態が存在するということを博士論文で示したのです〔タイトルは「工業化以前のヨーロッパの七つの農民共同体」)。

人間集団の違いを分類するわけですが、その際に普遍主義的視野の中で分類するのが私の方法です。全人類を同じ一つの分類の枠に入れるという意味で、普遍主義的モデルなのです。フランス的な感覚のせいか、私は人々の間の差異を認識しながらも、そうした差異を深刻に重大視はしません。これは、フランス文化の偉大なところかもしれません。

このように、私としてはフランス的普遍主義を裏切ったつもりはまったくなかったのですが、『第三惑星』を出したところ、「『ドイツ人は違う』と書いているのは問題だ！」「異端思想だ！」といった非難をあびました。

実は、気持ちの上では、自分にとって嬉しい発見もあれば、嬉しくない発見もあります。たとえば、ドイツ、スウェーデン、日本などの権威主義的な直系家族の方が、イギリスの絶対核家族やパリ盆地の平等主義核家族よりも概して教育水準が高く、経済パフォーマンスも良いということなどは、私にとって愉快ならざる発見でした。しかし、真実は真実です。

核家族こそ最も原始的な家族形態

私は、研究者として幸運に恵まれました。というのも、研究の最初の段階で、農村における家族構造と近代化との関係を見出した上で、その後、「では、家族システムはなぜ多様なのか？」と質問してくる人に出会えたからです。

世界の家族システムの分布について、『第三惑星』における私の結論は馬鹿げています。「それは偶然にすぎない」としているからです。当時はまだ構造主義的モデルに囚われていたのです。

ヒントを与えてくれたのは、ローラン・サガール〔一九五一年生、中国語の方言と歴史を研究〕という言語学者の友人でした。家族システムの分布が、なぜこうなっているのか？　言語学者の彼は、「まったく単純なことだ」と言いました。「伝播のモデルで簡単に説明できる」と。

「ユーラシア大陸の周縁部に分散して核家族の地域があり、ユーラシア大陸の中心部に一続きの塊として共同体家族の地域がある。これは方言の分布と同じで、核家族という家族システムの方が古く、共同体家族の方が新しいということを示している。共同体家族は、ユーラシア大陸の中心部から周縁部に向かって伝播したが、まだ空間全体を覆い尽くしてはいない、ということを示しているのだ」と。

この指摘がきっかけとなって、私の分析は構造主義モデルから離れ、伝播主義モデルに移ることができました。

これによって分かったのは、実は、「パパ・ママ・子供」という核家族こそ、最も原始的な家族形態だったということです。しかも、人類史の出発点においては、核家族という家族形態が人類共通のものとして存在していたのです。最初のホモ・サピエンスは、父系制とも、母系制とも同定されない、双系制の核家族〔若い夫婦は夫の家族集団と妻の家族集団のいずれにも所属できる〕の形態で暮らしていたのです。

具体的な普遍性

こうした家族構造の変遷と伝播という視点から、人類史を描き直そうとしたのが、『家族システムの起源』〔Ⅰ・Ⅱ、Ⅰ巻のみ邦訳刊行済、上・下、石崎晴己監訳、藤原書店、二〇一六年〕です。浩瀚なこの本の執筆には一〇年を要しました。そこには四〇年に及ぶ私の研究成果のすべてが詰まっています。最初は何の見透しも持っていませんでしたが、一つ一つ研究を積み重ねてきた結果、研究生活の最後の段階で、人類の歴史全体を再構成するような本を書くに至ったのです。

ちなみに日本に関する章〔邦訳、上、第4章〕もあります。一国に一章を割いているのは日本についてだけです。日本について詳細な分析が可能だったのは、「日本の歴史人口学の父」であり、私の友人でもある速水融教授〔一九二九年生、慶應義塾大学名誉教授〕のおかげです。彼が創始した学派によって、徳川日本に関して良質なデータが極めて豊富に揃っているのです。

そして現在、『家族システムの起源』の成果を踏まえ、現代のグローバリゼーションを人類史のなかに位置づける本〔仮題『われわれは今、どこにいるのか？――人類史素描』〕を執筆しているところです。

つまり、文化相対主義的に各人間集団の差異に着目するだけでなく、長い研究生活を経て、私はついに人類の共通性に辿りついたとも言えます。この意味で、私の研究は普遍主義的な性格を帯びています。

といっても、フランス的な普遍性、つまり「抽象的な普遍性」とは異なります。あくまで経験主義的・実証的に確認できる「具体的な普遍性」なのです。

振り返ってみると、私の研究は、まずフランス北部の農村から出発しました。一九七四年に書いた私の最初の論文は、パ＝ド＝カレ県の世帯構造に関するものでした。この研究が、私の博士論文の指導教授であったピーター・ラスレットを困惑させることになったのですが、いずれにせよ、フランス北部の小さな農村の研究から出発して、最終的には、地球全体、人類史全体を俯瞰《ふかん》するに至ったのです。

人類史を俯瞰する際に私が用いるのは、ごく基本的で単純な変数です。変数の数も、それほど多くありません。しかし、これによって人類の歴史がある程度、見えてくるのです。この方法は、一貫していて、整合的で、現実を理解するのに有効だと自負しています。

多様化に向かう人類の歴史

人類の歴史の出発点には、双系制の核家族という人類共通の「具体的な普遍性」を確認できるのですが、その後の歴史は、一言で言えば、「多様化の歴史」です。

もちろん、人類史には、「分散」ではなく「一致」に向かう面もあります。たとえば、識字率の上昇です。これは文化の違いに関わりなく、人類共通の現象です。まもなく人類は、全員が読み書きできる日を迎えることでしょう。

にもかかわらず、人類史は、総じて「多様化の歴史」です。何よりも家族構造が多様化してきたわけですから。多くの論者はこの点を見誤っています。現在執筆中の『われわれは今、どこにいるのか?』で示そうとしているのも、いったん多様化した人類の歴史が共通の価値観に基づいて再び画一化することはあり得ない、ということです。

グローバリゼーションが進んでも、文化の差異は残ります。たとえば、出生率を見ますと、アメリカとフランスは約二・〇であるのに対し、ドイツと日本は約一・四です。これには家族システムの違いが影響しています。父系的な権威主義が強いドイツと日本では、女性が仕事と子育てを両立させるのが難しく、出生率が低下し、それが問題視されても、なかなか突破口を見出せないのです。このように、人類の歴史は一つになっていくというグローバリゼーションのイデオロギーと合致しない現象が生じています。

場所《テリトリー》のシステム

もちろん、ある面で人間は、普遍性、あるいは可塑性をもった存在です。たとえば、韓国から子供を養子にもらってフランスで育てれば、「フランス人」ができ上がります。

しかしこれは、「場所《テリトリー》のシステム」が存在するということでもあります。たとえば、『シャルリとは誰か?』で論じたことですが、ニューヨークでも、ボストンでも、シカゴでも、サンフランシスコでも、ロサンジェルスでも、家族形態は今日でも一様に絶対核家族です。自由主義的だが平等主義的でないイングランド流の家族形態の原型が、スコットランド、アイルランド、ドイツ、スウェーデン、ポーランド、ユダヤ、イタリア、日本、韓国、中国などからの三世紀にわたる移民流入を経てもなお、変化していないのです。移民の子孫は、二世代目か三世代目になると、元の家族システムがどのようなものであったとしても、受け入れ社会の家族システムを採用するのです。

親が子供にある価値を教え込むと、その価値が伝達されます。しかし、価値伝達のメカニズムはそれだけではありません。学校、街、近所、企業など、家族よりも広い環境で価値観が再生産され、伝達されるメカニズムも存在します。場所《テリトリー》が、家族に劣らず、その場所《テリトリー》で認められている諸価値を伝達するわけです。この仮説なしに、私たちは、米国が米国であり続け、カナダがカナダであり続け、オーストラリアがオーストラリアであり続ける理由を理解できません。家族システム自体も、場所《テリトリー》のシステムを通じて伝達されているのです。人口の流動性が極度に高いにもかかわらず人類学的システムが今なお永続しているのは、場所《テリトリー》のメカニズムによってなのです。

家族システムに基づく価値観の永続性──「ゾンビ〜」

私は、科学者として、常に問題を限定して考察してきました。「人類の歴史の意味」などということを語る科学者は存在しません。そうしたことを語るのは、科学者ではなく、哲学者、形而上学者、あるいは詩人です。それに対し、限定された一つ一つの問題を解いていくのが科学者の仕事です。

まず最初に私が解いたのは、なぜ共産主義がある国々では成功を収め、他の国々ではそうでなかったのかという問題です。「共産圏の地図」と「外婚制共同体家族の分布図」がぴたりと重なったのです。そして、そこから出発して、では直系家族はどうか、絶対核家族はどうか、というように考察を広げ、「工業化以前の伝統的な家族構造によって近代以降の各社会のイデオロギーを説明できる」という仮説を丁寧に確かめていきました。

しかし、当初は、こうした現象を永続的なものではなく、一時的なものと考えていました。本には書きませんでしたが、伝統的な家族システムが崩壊すれば、それに基づく価値観も次第に消滅していくのだろうと考えていたのです。ところが、研究を続けていくなかで、そうではないことに徐々に気づきました。

家族システムに基づく価値観の永続性という問題をはっきり認識したのは、『移民の運命』〔石崎晴己・東松秀雄訳、藤原書店〕で各国の移民のあり方を比較したときのことです。英・仏・独それぞれにおける民族間の混合結婚率を見ると、フランスだけ突出して高かったのです。

これは、奇妙なことに思えました。今日、産業化、都市化が進み、人口の流動性が急速に高まっているのに、なぜこのような大きな違いが存在するのか、と不思議に思ったのです。しかし、フランスの「平等主義」、イギリスの「非平等主義」、ドイツの「反平等主義」という家族構造にもとづく価値観は、それぞれの社会に根強く存続し、移民の受け入れ方の違いに反映されていたのです。

エルヴェ・ル・ブラーズと共にフランス国内の多様性を考察した際にも、このことを強く実感しました〔『不均衡という病――フランスの変容　1980-2010』石崎晴己訳、藤原書店〕。エルヴェ・ル・ブラーズとは、三〇年前にも共著の本を出しました〔『フランスの創生』〕。「フランスは一にして不可分」という有名な言葉がありますが、皆を苛立たせるために(笑)、「フランスは極めて多様である」ことを示す本だったのです。

そして再び、二〇〇八年の人口統計を用いて、「その後、三〇年経ってフランスは同質化しているかどうか」を検証したのですが、確認できたのは正反対のことでした。フランスは相変わらず多様だったのです。中高等教育や経済のパフォーマンスに地域ごとの違いがあり、その差異は家族システムの違いから説明できました。

過去と比べれば衰退したはずの「家族」や「宗教」の影響がはっきり見られました。そのことを示すために、「ゾンビ・カトリシズム」という言葉を用いたのです。同様に、核家族化が進む今日の日本については、「ゾンビ直系家族」という言い方も許されるでしょう。

とはいえ、私の使用法の場合、「ゾンビ」という言葉に良い意味も悪い意味もありません。あくまで、宗教や家族システムそのものが消えても、その宗教ないし家族のシステムにもとづく価値観は存続するということを示すための言葉です。

『シャルリとは誰か？』では、「私はシャルリ」デモの盛んな地域と「ゾンビ・カトリシズム」の相関関係を指摘しましたが、『不均衡という病』で最初に「ゾンビ・カトリシズム」という用語を用いたのは、旧カトリック地域の教育や経済のパフォーマンスの良さを説明するためでした。ただ、それを指摘することで、カトリックを高く評価している、消え去ったカトリシズムにあまりに好意的だ、などと受け取られるのを避けるために、いわばバランスを取るために「ゾンビ」という言い方をしたのです。

ブリコラージュ屋

ル・ブラーズだけでなく、ローラン・サガールやユセフ・クルバージュ（『文明の接近』の共著者）などとも共同研究をしましたが、他人と一緒に仕事ができるのは、自分の長所ではないかと思っています。

また、ピエール・ショーニュ（一九二三―二〇〇九、ラテン・アメリカ、アンシャン・レジーム期フランスの社会史、宗教史の専門家、歴史学に計量的手法を導入した先駆者、政治的には保守派）、エマニュエル・ル＝ロワ＝ラデュリ、ピーター・ラスレットといった先人の仕事を自分の研究のなかで活用していることも誇りに思っています。私はあくまでブリコラージュ屋で、孤高のナルシストではないのです（笑）！

ル・ブラーズとの共著『不均衡という病』には、移民を取り上げた一章があります（第8章「移民流入とシステムの安定性」）。そこでの問いは、「フランスは、一つの統一国家で、パリと南仏を三時間で結ぶTGVのような交通網があり、（日本が模倣したような）中央集権的な地方行政システム（県制度）があるのに、なぜ地域ごとの多様性がこれほどまで残っているのか？」というものでした。これを説明するのに、ル・ブラーズと共に考案したのが、「場所の記憶」という言葉です。これは、ピエール・ノラ『記憶の場』仏版全七巻の編者）の「記憶の場」という表現をひっくり返したものでしてね（笑）。パリでは、こういう言葉遊びを楽しむものなのでね。

概念は深く掘り下げない

私は初めから「場所の記憶」という考えを持っていたわけではありません。ストラスブールで、ル・ブラーズと共に公開討論会に参加した時に、それまでの自分の考え方が間違っていることに気づいたのです。価値伝達に関する私のモデルは誤りだった、と。

私は、深遠な精神の持ち主ではなく、あくまで、雑多なものを組み合わせて仕事をするブリコラージュ屋です。深遠な精神の場合には、脳髄液を分泌するように、みずから概念を分泌し、自分が用いる概念を深く掘り下げて考えるのでしょう。私はそのタイプではありません（笑）。

たとえば、デュルケームの『自殺論』であれば、まず「自殺」の定義がおこなわれ、次に「自殺」の分類がおこなわれます。

独仏の観念論よりもイギリスの経験論を重視する家系の影響で、私は、概念をめぐる議論は結局のところ不毛な堂々めぐりにしかならないと考えています。ヴィトゲンシュタインも述べているように、究極的には「赤い色」は「赤い色」としか定義できません！　トートロジー〔同語反復〕にしかならないのです。ですから私は、ごくありふれた、慣習的な言葉づかいをします。これはむしろ言葉に対する警戒心、言葉が一人歩きすることに対する警戒心が強いからです。

私が「自殺」という言葉を用いる時も同様です。改めて「自殺」を定義するようなことはしません。「自殺」と言えば、それが何を意味するのかを人々は知っているという前提で、私は議論します。

「共産圏の地図」と「外婚制共同体家族の分布図」の一致を発見した時にも、ただただだ「とにかくぴったり重なる！」「これで説明できる！」と思っただけで、「共産主義とは何か？」などといった深遠なことは、まるっきり考えていなかったのです（笑）！

外婚制共同体家族において、親子関係は権威主義的で、兄弟関係は平等主義的です。それが共産主義の特徴を成す権威主義的な平等主義と一致すると思っただけです。伝統的な外婚制共同体家族システムが消え去れば、それまで培われてきた価値観はイデオロギーとして放出される、つまり伝統的な家族システムの価値観はイデオロギーに転換する、それが共産主義だ、というわけです。そこに深遠な政治哲学などは皆無でした。

家族由来の価値観は強固でない

価値観の伝達の問題に戻りますが、私も当初は、親が子供に教え込むことを通して価値が伝達されるという精神分析学的モデルに則っていました。子供の無意識の中にハンマーで叩き込まれるような「強い価値」によって価値の伝達が維持される、と考えていたのです。しかし、学校、街、近所、企業など、家族よりも広い環境で、漠然とした軽い模倣プロセスによって再生産される「弱い価値」の伝達の方が、実は重要だったのです。たとえば、学校や地域社会の影響に抗して家族内だけで子供を教育しようとしても、その試みは初めから失敗する運命にあるのです。

ここでの逆説は、「弱い価値」の伝達によって強いシステムが維持される、というところにあります。「場所《テリトリー》の記憶」とは、この逆説にほかなりません。

もし人々が「強い価値」を抱いているのなら、その人がどこに住もうともその価値観が維持されるはずですが、そうなってはいません。人々が抱いている価値観は実はそれほど強固ではないのです。人々の価値観がそれほど強固ではないからこそ、言い換えれば、人間が可塑的な存在だからこそ、場所《テリトリー》ごとの価値観が永続化するのです。人が移住すれば、次第にその場所《テリトリー》の新たな価値観を受け入れていくのです。

「場所《テリトリー》の記憶」は、われわれを解放してくれる概念です。この概念によれば、人間をある不変の本質に閉じ込めることなしに、地域文化や国民文化の永続性を捉えられます。また、この概念は、「家族システム」という概念と矛盾するどころか、むしろそれを補完します。

科学とは自分の間違いに気づくこと

ところで、自分の間違いに気づくのが科学の仕事であり、科学がもたらしてくれる喜びだと思います。間違いに気づくからこそ、研究は面白いのです！

私にとって、研究とは、ある概念を時間をかけて掘り下げることではありません。たくさんのデータを集め、たくさんの本を読むことです。すると、あるとき突然、啓示のように、二つの事実が重なり合うのです！

ところが皮肉なことに、私が新しい発見をするのはいつも、私生活面で自分が危機にあるときなのです！（笑）これは自然なことかもしれません。新しい発見というのは、習慣化した考え方や類推やパターンを断ち切ることですから。調子が良いとき、人は同じ考え方をするものです。調子が悪いときにしか、習慣化した考えを改めることはしません。精神的に落ち込んでいるときこそ、方向性を失うときこそ、自分のそれまでの考えが揺らぐのです。

私にとって、読書も同じです。本を読むのは、自分の考えが正しいことを確認するためであるという人が多いかもしれません。私はむしろ、おかしいと感じられる事実、奇妙な事実を探しながら、本や統計を読みます。

たとえば、一九七六年に『最後の転落』を書いて、今後、一〇年、二〇年、もしくは三〇年以内にソ連は崩壊すると論じたのも、WHO〈世界保健機関〉が発表しているソ連の乳幼児死亡率の統計を見たことがきっかけでした。それまで低下が続いていたソ連の乳児死亡率が、一九七一年から一九七四年まで上昇を続け、一九七五年以降は公表されなくなったのです。これはおかしい、何かある、と直観しました。『移民の運命』を書いたのも、英・仏・独の混合婚率に意外なほど大きな違いがあるのに気づいたことがきっかけでした。

このように、異常な数値、奇異な数値は、われわれが気づいていない現実の一端を開示します。

世論調査に現れる日本人の特性

家族に関する日本、韓国、台湾の比較研究の統計を見て、不思議だな、おかしいな、と私の目を引いたのは、日本だけ「無回答」が多いことでした（笑）。どう解釈すればよいのかまだ分かりませんが、これは、日本人に関する何かを示しているはずです。

その統計資料の巻末に、世論調査をした各国研究者のディスカッションが掲載されていたのですが、「選択肢を偶数にする」という日本人研究者の発言がありました。「奇数にしてしまうと、必ず真ん中の選択肢が突出して多くなるからだ」と（笑）。

また先日、『「ドイツ帝国」が世界を破滅させる』でも活用している世論調査をおこなった友人が、「自分の国を守るために、必要ならばあなたは戦いますか？」という国際比較の調査を話題にしたので、「その調査で日本人の『無回答』はどれくらいか？」と尋ねたところ、やはり「無回答」が非常に多かった。

これはまだどんな考察にも活用していませんが、こうした奇異な数値と何か別のものとの関連が見えてくると面白いと思います。

日独の違い

各社会のあり方を見るとき、私は家族構造の違いに注目しますが、それだけですべてを説明できるとは考えていません。

たとえば、日本の家族には直系家族の特徴が表れています。階層序列的で、権威主義的で、効率的で、自民族中心的（＝自民族を特別視する考え）、というような特徴です。

ところが、同じ直系家族の日本とドイツの間にも大きな違いがあります。「外向きの拡張志向のドイツ」と「内向きの孤立志向の日本」という違いです。これには理由があります。まず地政学的に見て、ドイツはヨーロッパ大陸の中心に位置し、いつでも勢力を外に拡張できる地理的条件があります。他方、日本は四方を海に囲まれています。

さらにもう一つ、違いがあります。「イトコ婚（いとこ同士の結婚）」の有無です。日本では伝統的に「イトコ婚」が一定の割合で存在しました。しかし、ドイツでは皆無です。もちろん今日の日本では「イトコ婚」はほとんど見られません。しかし第二次大戦直後の時点で、約一〇％にも達していたのです。

「イトコ婚」という同一グループ内での結婚（内婚）は、文化の閉鎖的・内向的傾向を示しています。たとえば、共同体内で伝承されてきた技術の外部流出を避けるために内婚が奨励されたケースがあります。いずれにせよ、日本はドイツよりも閉鎖性、内向性の傾向が強いと言えます。

実際、日本人は自分を世界の周縁に位置付けようとします。「世界の中に存在しているのに、世界の一部をなしていない」かのようです。

ヨーロッパの不安定要因となっているドイツの拡張志向は大きな問題ですが、日本も、自らの孤立志向を自覚した方がよいように感じます。

私も大好きな日本の文化を維持するためにも、日本はもう少し移民の受け入れや、女性が職業生活を営みながら子供を生み育てられる仕組みを取り入れる必要があると思います。独自の文化を生み出した同質性を大事にするというのは尤もですが、人口減少で日本の存続そのものが危うくなっては意味がないからです。

国家を再評価せよ

核家族と国家

『家族システムの起源』という本で明らかにしたのは、西欧などユーラシア大陸の周縁部に存在する「核家族」システムが、家族構造としては実は最も原始的である一方で、この「原始的な家族構造」〈核家族〉が、むしろ近代的な変化や社会の進歩を促した、というパラドクスです。

ここで重要なのは、この「核家族」も、それぞれバラバラに存在するのではなく、ある大きな社会構造のなかに存在しているという点です。そして、これはいつの時代にも言えることです。

一七世紀イギリスの絶対核家族も、それ自体で存在するものではありませんでした。ピーター・ラスレットなどもこれにいち早く気付いていました。絶対核家族が存続するには、それを補完する別のより大きな社会構造が必要なのです。

イギリスは、最も早く産業化し、最も早く貧者救済施設を創設した国ですが、それが、絶対核家族がそれだけでは存続できないことを当時の人々も理解していたことの証しです。公的・社会的な援助を受ける独居老人の比率が高いのが、当時のイギリス社会の特徴でした。

家族構造と国家の関係は、まさに私の現在の研究中のテーマなので慎重に述べる必要がありますが、たとえば、直系家族の社会は、核家族の社会ほどには国家を必要としません。

なぜなら直系家族自体が、いわば国家の機能を内部に含んでいるからです。家族としての団結そのものが「ミニ国家」的です。その分だけ、通常の意味での国家の必要性は弱まります。

これは、今日にも通用する話です。核家族は個人を解放するシステム、個人が個人として生きていくことを促すシステムですが、そうした個人の自立は、何らかの社会的な、あるいは公的な援助制度なしにはあり得ません。より大きな社会構造があって初めて個人の自立は可能になります。「個人」とより大きな「社会構造」には、相互補完関係があるのです。

ネオリベラリズムの根本的矛盾――「個人主義」は「国家」を必要とする

ここに、ネオリベラリズムの主張の根本的矛盾があります。個人の自立は公的・社会的援助制度、つまり今日の文脈で言えば、国家を前提としているのに、そのことを理解していないのです。

絶対核家族のアメリカは、大恐慌以後のニューディール政策から第二次大戦後にかけて、黄金時代を迎えました。ちょうど国家が積極的に社会に介入した時代です。各国から移民が大量に流入した時代ですが、その移民たちがそれぞれの移民コミュニティから離れ、個人として自立するのを助けたのは国家なのです。一九三五年、ルーズベルト大統領が社会保障制度を導入します。それがその後のアメリカの繁栄の礎となりました。

しばしば「個人」と「国家」は対立させられますが、国家が大きな役割を果たすことと、核家族システムのなかで個人が個人として生きることは、矛盾するどころか、実は相互補完的なのです。この点を、ネオリベラリズムの信奉者はまったく理解していません。

ネオリベラル革命がもたらした逆説的結果の一つは、核家族の進展、つまり個人の自立を妨げたことです。

この文脈では、核家族を、①古いタイプの核家族と、②純化された絶対核家族とに分けて考えるとよいかもしれません。①が「パパ・ママ・子供の世帯」であるのに対し、②は、独身者、独居老人などといった「一人世帯」です。ネオリベラル革命は、ここで言う②のような世帯の存在を否定するのです。

大人になれば、家を出て自立するのが、個人の自立を尊重する絶対核家族のアングロサクソン社会の特徴です。ところが、ネオリベラル革命の皮肉な結果として、成人になっても経済的に親元を離れられない子供が急増しました。ネオリベラリズムは、個人主義であると言われていながら、実際には個人の自立を、つまり個人主義を妨げているのです。

現在、絶対核家族社会の唯一の例外はデンマークで、国家が個人にさまざまな援助を提供することで、つまりネオリベラル革命をしないことで、個人を支援しています。それに対し、ネオリベラル革命は、個人が家族に頼らざるを得ない状況をつくりだすことで、結局は「個人の自立」を妨げています。

このように、核家族と国家の間には共振関係があります。たとえば、教育の分野に国家が大きく介入することなしに、核家族社会は成立しません。フランスでは、初等教育から高等教育まで費用を親ではなく国家が負担することで、核家族が維持されています。フランスの個人主義は強力な国家の存在によって成立しているわけです。

それに対し、直系家族の場合は構造が核家族よりも複雑で、家族内の連帯がより大きな役割を果たし、そのぶん核家族ほど国家を必要としません。直系家族の社会文化では、多くのことが国家ではなく家族に依存します。

こう考えると、アングロサクソンのネオリベラリズムは、まったく奇妙な現象と言えます。国家こそ、個人の自由の必要条件です。「個人」の成立には「国家」が必要なのです。

過去の政治哲学者たちは、そのことをよく理解していました。「国家によって個人が解放される」「国家は、家族、親族、部族といった関係から、個人を解放する」と。アングロサクソンのネオリベラリズムは、このことをすっかり忘れています。実際、家族や親族や部族の方が、国家よりも全体主義的であることが多いにもかかわらず、です。

「家族」の過剰な重視が「家族」を殺す

日本の事情に私は詳しくありません。ただ、一般的に言って、日本には「家族」イデオロギーが根強くあるようですが、すべてを家族が担うやり方には無理があると思います。たとえば、かつては家族単位で農業などの生産活動が担われていました。それに対し、今日では子供の教育負担に家族の第一の役割があります。しかし、大学進学率が五〇%を超える時代に、子供の教育費用のすべてを家族で賄うことなどできません。老人介護も同様です。すべてを家族に負担させようとしても、「家族」イデオロギーによって過去の伝統や文化を守ろうとしても、うまく機能しないのです。家族の負担だけでなく、公的扶助が必要です。「家族」を救うためにも、家族の負担を軽減する必要があります。

かつて日本で受けたインタビューで、日本について、「家族の過剰な重視が、家族を殺す」と述べたことがあります。「家族」というものをやたらと称揚し、すべてを家族に負担させようとすると、かえって非婚化や少子化が進み、結果として「家族」を消滅させてしまうのです。

国家の再評価

私は、家族構造の専門家であって、国家の専門家ではありませんが、私の見方からすれば、今日の世界の危機も「国家の問題」として捉えなければなりません。

サッチャー、レーガンのネオリベラル革命以来、国家の役割を減らし、小さくするという傾向が数十年間続いてきましたが、いま世界で真の脅威になっているのは、「国家の過剰」ではなく、むしろ「国家の崩壊」です。中東の危機も、国家崩壊による危機と見なければなりません。アラブの内婚制共同体家族社会はもともと国家形成の伝統を欠き、国家形成の力が弱いのです。EUの失敗も、ヨーロッパ国家形成の失敗と捉えられます。ウクライナ問題も、あの広大な地域に国家形成の伝統がなかったことに原因があります。

いま喫緊に必要なのは、ネオリベラリズムに対抗する思考です。要するに、国家の再評価です。国家が果たすべき役割を一つずつリストアップすることです。

ネオリベラリズムは、それ自体として反国家の思想であるだけでなく、国家についての思考を著しく衰退させました。それだけに今必要なのは、思想革命と言えるような思考の転換です。国家のあるべき姿をもう一度考え直し、一定の状況のなかでの国家の役割を再評価し、国家と個人の自由との関係をよく理解しようと努めなければなりません。

アメリカにとっての「国家」

研究者としての私にとって、目下の関心は、英米社会において「国家」がどうなるかという点にあります。これこそ、今日の世界における真の問題と言えるでしょう。もし私がもう少し若く、エネルギーをもっていたら（笑）、「アメリカにとっての国家」をテーマに研究したいところです。

そもそも、アメリカにとって国家という存在は不思議な二面性をもっています。アメリカには、国家嫌い、制度嫌いの徹底した反国家思想が色濃くある一方で、アメリカは強力な軍事国家です。この二面性は互いにどう関係し、どう両立しているのか？

本来、自分たちの文化にしか可能でないモデル、つまり絶対核家族社会に適したモデルを世界中に広めようとしたことに、ネオリベラリズムとグローバリズムを推進したアングロサクソンの英米の賢さと陰険さがありました。これによって、ヨーロッパ大陸とアジアの国家主義的なシステムが破壊されたのです。

しかし、そのネオリベラリズム、グローバリズムが、いまや英米社会自体を破壊しようとしています。英米社会自身が、自らつくりだした概念に耐えられなくなっているのです。たとえば、本来は国家が担うべきセキュリティの維持を民間の警備会社が担い、かえって膨大な費用が発生するといった逆説が生じています。

一九三〇～一九七〇年代のアメリカ

私は、遅まきながら最近、一九三〇年から一九七〇年代にかけてのアメリカの人類学と社会学に敬意を抱くようになりました〔『家族システムの起源Ｉ』「序説」には「忘れられた快挙　両大戦間時代のアメリカ人類学」という項がある〕。かつてマルクス主義の影響下で、これらを軽蔑していたことを恥じています。マルクス主義をめぐる議論こそ重要だと考え、アメリカの社会学や人類学など視野に入れていなかったのです。たとえば、ルース・ベネディクトを読み始めたのもつい最近のことです。まさに半世紀遅れです（笑）。

ルース・ベネディクトの仕事が日本で批判されていることは知っています。「罪と恥」をめぐる議論は、興味深いものでも、評価できるものでもありません。しかし、日本の捕虜へのインタビューに基づくルース・ベネディクトの仕事は、他者の文化の存在を認め、理解しようとする努力と知性に満ちていました。もちろん、日本占領政策の必要からなされたものですが、こうした仕事は、結果的に、天皇制の存続など日本の独自性の尊重につながったのです。当時のアメリカは、政治においても、学問においても、称賛に値します。

このように一九三〇年から一九七〇年代にかけて、アメリカは外の世界に開かれていたのですが、今日のアメリカはそうした器量を欠き、知的に貧しくなっています。

たとえば、ケインズの時代には、経済学の中心はイギリスにありました。そして当時のアメリカの学問は、今日のように経済学偏重ではなく、世界の多様性に目を向けていました。ところが今日、アメリカの学問は完全に経済学中心となり、単純な「ホモ・エコノミクス」のモデルを世界中に適用しようとしています。左派・右派を問わず、フリードマンにしろ、スティグリッツにしろ、クルーグマンにしろ、経済学モデルですべてを説明しようとする。実に貧しいものの見方です。世界の多様性を認めない、攻撃的で単純な普遍主義です。

もしルーズベルトの時代のアメリカが、民主主義を押し付けようとして、結局イラク国家を破壊したのと同じイデオロギーを採用していたら、日本はどうなっていたでしょうか。

日本が日本として存在できたかどうか分かりません。

エリートのナルシスト化

この問題は、「リベラル」と称される社会の盲目性という問題にも通底しています。先進諸国社会のなかで、高等教育を受ける層が大衆化し、同時に、高等教育を受けた層と受けていない層との間で分断が生じています。かつて著述家や知識人は、すべての同胞に語りかけるか、さもなければ、独り言を言うしかありませんでした。

ところが今日、高等教育を受けた層は、社会のごく一部にすぎなかったかつての知識人層とは違って、一定の量的規模をもって一つの大きな階層をなしています。その彼らは自らのうちに閉じこもり、自分たちの階層のなかだけで通用する議論をし、ポピュリズム批判という形で、自分と大衆を隔絶しようとしています。いわば「プチ・ブル」化しているのです。小説も、映画も、その傾向を見せています。社会全体への関心を失い、自分の階層の関心ばかりをテーマにしている。高等教育を受けた層の全体がナルシスト化しているのです。

『デモクラシー以後』〈石崎晴己訳、藤原書店〉で論じましたが、ナルシスト化したエリート層は、人間には寿命があるという有限性を、いかなる個人も必ず何らかの社会集団・国民集団に所属するという必然性を、必死に否定しようとします。そして、獰猛なまでに自己自身のことばかり気にかけ、肉体的・性的・審美的・経済的自己実現に執着し、ジョギング、ダイエット、美術館めぐり、社会的出世、蓄財などに励むのです。

この問題を扱っているのが、アメリカのクリストファー・ラッシュの『ナルシシズムの時代』〔石川弘義訳、ナツメ社、一九八一年〕です。原著は一九七八年に出たのですが、これは当時のアメリカ社会の変化を反映しています。

その頃、私は出版に関わる仕事も少ししていたので、自分がディレクターを務める叢書の一冊として、この本の仏語訳を一九八一年に出しました。ところが、それほど売れませんでした。当時のフランス社会にとっては、テーマが早すぎたのかもしれません。その後、フランスにもナルシシズム文化が浸透しました。現在はアメリカ映画だけでなく、フランス映画も、外の世界への関心を失っています。

「世代」ごとに変化を遂げる英米社会

とはいえ、現在のアメリカには変化の兆しも見られます。これまでのネオリベラリズムとは異なる潮流、国家の再評価への動きが徐々に強まっているのが確認できます。

この点で、私は、以前よりアメリカに対して悲観的ではなくなっています。たとえば、オバマ大統領の医療保険制度改革は、国家の再擡頭として位置付けられるでしょう。また、とくに若者の間で国家の再評価の機運が高まっていることが、世論調査で確認できます。おそらくアメリカ社会に大きな転換期が来ているのだと思います。

歴史を振り返ってみると、このような大きな揺れ動きが何度かアメリカにはあったことがわかります。かつて国家の介入に徹底的に反対し、自由主義的な国だったアメリカは、一九三〇年代にはフランクリン・ルーズベルトのもとでニューディール政策を敢行します。このときは国家のリーダーシップに頼ったわけですが、一九八〇年代のレーガンの時代には新自由主義が政治を席巻し、国家の役割を否定します。そしていま再び国家の役割が見直されつつあるのです。

このような大きな揺れ動きは、アングロサクソンの絶対核家族の構造に起因していると考えられます。直系家族のドイツや日本が親子間の継続性を重視するのに比べ、親子間が自由な関係にあり、子供がまったく新しいことを始めるわけです。世代ごとに大きく変化を遂げ、「世代」が大きな意味をもつ文化なのです。

もう一つ、アメリカの世論調査を見て気がつくことがあります。とくに若者の間で国家に対する好意的な評価が高まり、宗教への関心が低下してきているのです。興味深いことに、ネオリベラリズムの高揚期には、宗教への関心も高まっていましたが、今はアメリカで宗教熱が冷え始め、むしろ世俗性の重視と国家の再評価が拡大しています。

イギリスの断絶文化とフランスの継続文化

「世代」が大きな意味をもち、「世代」ごとに大きく変化するのが、アングロサクソン社会の特徴です。イギリス〔絶対核家族〕とフランス〔平等主義核家族+直系家族〕を比較すると、そのことがよりクリアに見えてきます。

英仏の違いは、それぞれの文学史の違いにもはっきり現れています。

フランス文学史には「継続性」があります。たとえば、一五世紀のフランソワ・ヴィヨンから、一七世紀のコルネイユ、ラシーヌ、モリエール、一九世紀のスタンダールやバルザックへと、ある種の歴史的連続性が見られます。だからこそ、これらの作品を現代のフランス人も読みふけることができるのです。文明のポイントは男女関係に現われますが、この点に関しても、現代人に理解可能な関係が古い文学に見出せるのです。

それに対し、イギリスの古い文学は、現代人には読むのが困難です。イギリス文学史の特徴は「断絶性」です。イギリスの文化を遡ると突然の変化にぶつかるのです。一五〜一六世紀にかけての自由奔放な文化が、一七世紀にはピューリタン的な厳格な禁欲文化に変わり、そして一八世紀には、フランスのような性に寛容な享楽的な文化に転じました。ところがそれが一九世紀には、再びおそろしく生真面目な禁欲文化となった……。

私がケンブリッジの学生の頃に知ったのは、凋落のなかで質素だけれどもエレガントなユーモアのあるイギリス社会でした。それに対し、同じケンブリッジで学んだ息子、ダヴィッドが経験したのは、大学社会においてさえ拝金主義が支配的となったイギリスでした。つまり、一世代で一変してしまうのがイギリス文化です。これほど振幅の激しい文化だからこそ、ビートルズやデヴィッド・ボウイが出てくるのです。

絶対核家族のアングロサクソン文化の不安定性、可塑性、柔軟性は驚くべきものです。税などの制度も、時代によって大きく変わります。ピケティが『21世紀の資本』で書いているように、イギリスとアメリカは、一九七〇年代末まで、今では考えられないほど税率も累進性も高い相続税を採用していました。

本来、税率の高い相続税こそが英米の絶対核家族社会に合致しているのです。直系家族よりも、世代間の継続性を重視しないシステムだからです。遺産相続で差をつけないことによって、各世代は同じ地点からスタートすることになります。こうすることで競争や流動性を維持できます。これを「超核家族システム」と呼んでもよいかもしれません。

いずれにせよ、現在のような税率の低い相続税制度やネオリベラリズムをもって、英米社会の不変の特徴だなどとは言えません。

新しい変化はアングロサクソンから生まれる

もしネオリベラリズムに代わる新しい潮流が生まれるとすれば、それは、アングロサクソン社会、とりわけアメリカからではないかと思います。アメリカは出生率が高く、人口学的な問題を抱えておらず、一九六〇年代〜一九九〇年代の教育や文化の危機を乗り越えて、徐々に社会的安定期に入っているからです。

そもそも英米の優位が確立したのは、イギリスが世界で最初に「国家」として機能したからです。効率の良い国家を最初に創ったのです。そこにアングロサクソン成功の起源があります。

イギリスが最初に形成した国家は、民主主義の国民国家とは言えません。象徴的な存在としての国家でした。議会はありましたが、大きな官僚制度をもっていたわけではありません。王は存在しても、それほど中央集権的ではなく、地方のエリートが統治する国家でした。それがかえって効率の良い国家運営につながったのです。島国で、同質性が高く、規模が大きすぎなかったことも有利に働きました。このようなイギリスの国家は、絶対王政のフランス国家に先んじた存在だったと言えます。

ネオリベラリズム、グローバリズムが限界に達しつつある今日の文脈において、アングロサクソン社会の先進性が国家にこそあったことを思い起こす必要があります。

国家の崩壊としての中東危機

国家形成が困難な中東世界

現在の中東危機も、国家の問題として捉え直さなければなりません。

中東は、国家が弱い地域です。国家建設が困難であることが、アラブ世界の本質的特徴なのです。アラブ世界の家族システム、つまり内婚制共同体家族はまさに「アンチ国家」です。

内婚制共同体家族の社会システムでは、兄弟間の連帯が軸になり、実質的に、父権的部族社会が構成されます。曲がりなりにも国家が成立する場合でも、フセインのイラクのように独裁国家になってしまうのです。こうした国家では、ある特定地域の部族連合が国家の軍事部門、とくに戦車などを我が物にするという現象が見られます。

イラクのフセイン政権では、ティクリートを根拠地としたスンニ派の部族が権力の中枢を占めましたが、彼らも、他の部族に超越して君臨する存在ではなく、数ある有力部族の一つにすぎませんでした。そういうなかで、軍隊という抑圧機関を掌握することで権力を握ったのです。つまり、部族社会というアラブ的要素と、軍隊による抑圧という西洋近代的要素の奇妙な混合物によって、国家権力が維持されていたのです。

シリアの場合は、アラウィー派〔シーア派の一派〕という宗教的少数派が軍事組織を手にし、権力を掌握しました。

要するに、ある範囲の地域を統一し、その中で人々を平等に扱うのが本来の国家ですが、アラブ世界では、そうした中央集権的な国家を生み出そうとしてもなかなかうまくいかないのです。そういう状況のなかで、アメリカ軍がイラクに侵攻し、かろうじて「国家」として残っていた要素まで破壊してしまいました。その結果、「国家なき空白地帯」が生まれ、そこに「イスラム国」が居座ったのは、皆さんがご存知の通りです。

サウジアラビア崩壊という悪夢

今後の中東情勢に関して、最も懸念すべきはサウジアラビアの崩壊です。

実は、崩壊のプロセスはすでに始まっています。フランスの石油会社トタルの要請で、「サウジアラビアのリスク」という報告をしたことがありますが、そこでとくに強調したのは出生率の激減です。一九九〇年頃に六だった出生率が、現在、三を下回っています。

サウジアラビアは昔ながらの部族社会で、一見、何も動かない世界に見えます。保守的で、惰性的で、停滞している世界だと言われます。ところが、出生率の急減が示しているように、深層では大きな地殻変動が起きているのです。社会全体が不安定化しつつあります。

サウジアラビアは現在、イエメンなどの周辺情勢に積極的に介入していますが、こうした介入も自国の問題からの逃避にしか見えません。何かに駆り立てられて、衝動的行動に走っているようです。

サウジアラビアは、西洋世界にとって、中東における重要拠点です。仮にサウジアラビアが崩壊すれば、その影響は計り知れません。ただでさえ国家建設がほとんど不可能か、極めて困難なこの地域に、さらに広大な「国家なき空白地帯」が生まれることになるからです。サウジアラビアの不安定化が中東全域にどんな影響を及ぼすのかは分かりませんが、トルコにはすでに悪影響が及んでいます。

これまで、アメリカとサウジアラビアは特別な関係を築いてきました。それはなぜなのか？

中東の原油を押さえるためだという説明がよくなされます。しかし、実はもともとアメリカは中東の原油にまったく依存していません！　それも、近年、米国内のシェールガスの開発でエネルギー自給率を高めたからではなく、以前からそうだったのです。アメリカが中東の原油をコントロールするのはむしろ、ヨーロッパと日本をコントロールするためなのですよ。

アメリカ帝国の弱体化

私が『帝国以後』〔石崎晴己訳、藤原書店〕を刊行した二〇〇二年時点に比べ、アメリカは、社会として、ある種の安定を再び見出しています。文化的停滞の危機を乗り越えつつあり、貿易赤字の対GDP比も激減し、エネルギー自給率も高まりました。現在のアメリカは、「本来のアメリカ」に戻りつつあると言えます。皮肉なことに、黒人差別も復活の兆しがあります。もちろん良くないことですが、モラルの話は別にして、アメリカの歴史を見ると、残念ながら黒人差別がアメリカ社会のある種の〝安定要素〟であることが確認できるのです。

このようにアメリカは社会として安定に向かっているとはいえ、『帝国以後』の記述のうち、今でも有効だと確かめられるのは、アメリカ帝国の弱体化というテーゼです。中東の現状をみるかぎり、まずそう言えます。世界的に見ても、アメリカ帝国はもはや過去のものになりつつあります。時代遅れのフランスの「左翼の左翼」などは、「ヨーロッパはアメリカに従属している」と相変わらず怒っていますが、まったくの幻想です。実際には、ヨーロッパはもはやアメリカに従属していません。むしろドイツに従属しています。

他方で、アメリカ自身も、アメリカ帝国がすでにフィクションと化していることは白状できません。アメリカ・システムがもはや存在していないことを世界に知らしめてしまうからです。「アメリカ帝国」とはいわば、各地域の同盟国との関係によって維持されるフランチャイズ・システムでした。ところが、フランチャイズの支店がアメリカの言うことを聞かなくなったのです。

ヨーロッパは、もはやアメリカの言いなりに動いていません。その証拠に、ドイツはアメリカの意見に耳を貸さず、ヨーロッパ全体を引き連れて不況に突入するような経済政策を続けています。ドイツにコントロールされたヨーロッパは、貿易黒字を抱えながら、世界経済の牽引役を果たそうとしていません。世界経済不況の責任は中国ではなく、ヨーロッパにあるのです。中東でも、サウジアラビアやトルコなど、かつての同盟国がアメリカの言うことを聞いていません。

世界の地政学は現在、フィクショナルな状況にあります。幻想のなかで動いているのです。かつてのアメリカを中心としたシステムが今なお存在しているかのように見えて、実際はそうではありません。

アメリカ人は「ロシアが問題だ」と言います。彼らにとっての主要な問題がいまだにロシアであるかのようなふりをしているのです。そう思うと安心できるからです。しかし、これはあまりに馬鹿げています。というのも、ロシアの人口は、わずか一億四〇〇〇万人で、経済規模も小さく、アメリカにとって脅威となるはずがありません。あんな小さな国のことばかりに気を取られるのは、おかしいのです。

今日、予言者であることは難しい

今日の世界は、ある一つのシステムが壊れつつある世界です。二〇一四年にベルナール・ヴァスール〔フランスの文筆家、詩人アラゴンを記念する会館の館長〕と共に、「今日、予言者であることは難しい」というタイトルの公開対談をしたことがありますが、現在われわれは近未来を見通すのが非常に困難な局面にいます。変化しつつあるパラメーターがあまりに多いので、予見が難しいのです。

しかし、だからこそ、安定したパワーがどこにあるかを見極める必要があります。ヨーロッパと中国は不安定な極です。それに対し、ロシアとイランは安定化しつつある極です。アメリカ人が賢ければ、安定的な勢力と協力すべきなのです。その点、イランとの関係改善は評価できます。

これまでのアメリカの中東政策は完全に誤っていました。中東を安定化させるどころか、国家崩壊の連鎖メカニズムにスイッチを入れてしまったからです。

まずイラク国家が、続いてシリア国家が崩壊しました。その上アメリカは、イラクのクルド人組織を創設することで、ようやく解決に向かっていた「クルド人問題」を再燃させせたのです。こうしてトルコ国内のクルド人問題も深刻化し、トルコはすでに内戦のような状態にあります。

この崩壊の連鎖はどこで止まるのか？　どこで止められるのか？　これを考えるには、安定の極を探す必要があります。

トルコとサウジアラビアが不安定の極であるのに対し、イランとロシアが安定の極です。人口学的にもそう言えます。つまり、イランとロシアを良きパートナーとすることで初めて、アメリカは中東における負の連鎖を食い止め、この地域を少しでも安定化させるチャンスを手にできるのです。

シーア派の方が西洋に近い

この意味で、理解に苦しむのは、アメリカとスンニ派との関係です。イスラム教のスンニ派は人類学的に西洋から最も遠く、むしろシーア派の方が近いからです。

シーア派は、「イスラム版のプロテスタント」と言えます。シーア派のイランは、イスラム革命を成し遂げましたが、あれも「民主的な」宗教改革と見ることができます。人類学的・文化的に見て、イラン人は西洋人に近く、国家建設の伝統をもっていますですから、アングロサクソンの歴史のなかで育った人間ならば、シーア派の方に親近感を覚えるはずなのです。

ところで、シリア危機が始まった頃、私は目の前にシリアの地図を広げました。反政府勢力の分布図と人類学的な地図を見比べたのです。すると、アサド政権の支持勢力の地域の方が、人類学的に見て西洋に近いことが分かりました。そこですぐにエリゼ宮〔フランス大統領府〕に知らせました。当時、オランド大統領のスピーチライターだった知人にショートメッセージを送ったのです。

「シリアの反アサド勢力の分布図と家族人類学的な地図を、いま自分の目の前に置いている。西洋は反アサド勢力と手を組もうとしているが、文化的に見れば、われわれから最も遠い人々だ。だからこの連帯は不自然で、絶対にうまくいかない。そのことを大統領に伝えられるか？」と。

すると「分かった」という返事だったのですが、結局、彼らは、そのことを考慮するような行動は何もしませんでした。

フランスの為政者である彼らが、無知なのか、単に無知なフリをしているだけなのかはよく分かりませんが、いずれにせよ、「文明の衝突」というテーゼは完全に間違っています。というのも、文化的に最も遠い人々同士が組んでいるのですから。現実には、そのテーゼの正反対のことが起きているのです。

フランシス・フクヤマはスンニ派？

半ば冗談ですが、ある架空のトンデモ学者の仮説を考えてみましょう。

「論理的に言えば、女性の地位に関心をもつはずの西洋は、イランや、シリアのアサド政権こそ良きパートナーであると理解し、彼らと組むべきだったのに、そうではなく、スンニ派の最も保守的な勢力に同調しているのは、実はアメリカのデモクラシー、あるいは寡頭政治の中に、スンニ派的なものがすでに存在するからではないか」と。本気でそう疑いたくなるほど、奇妙なことが起きているのです！

もう一つ、冗談を申しましょう。スンニ派には、「歴史の終わり」という考え方があります。啓示は終わった。すでに歴史は閉じている。もはや解釈の余地はない、と。

それに対し、シーア派は、世界は不公正に満ちていると考えます。議論は続いており、解釈は開かれており、彼らにとって、歴史はまだ続くのです。

フランシス・フクヤマが「歴史の終わり」を宣言したことがありましたが、その意味で言うと、もしかしたら、フクヤマは「スンニ派」なのかもしれません（笑）。ただ、これは冗談では済まない。スンニ派とアメリカとの関係、とりわけサウジアラビアとアメリカの倒錯した関係は、本当に問題なのです。

九・一一同時多発テロの実行犯の多くは、サウジアラビア人でした。にもかかわらずアメリカは、サウジアラビアとの友好関係を維持し続けました。まったく奇妙なことです。なぜアメリカはサウジアラビアを特別視し、連携するのか？

その説明要因としては、通常、「原油などの利害関係」、あるいは「地政学的な理由」が挙げられます。要するに、両者は単に利害やシニシズムでつながっているのだ、と。他方で、民主主義の擁護者であるはずのアメリカが、権威主義体制のサウジアラビアと連携するのはおかしいという非難もあります。

実は、そのいずれでもなく、アメリカの寡頭政治とサウジアラビアの寡頭政治の間には、何らかの共通性、内的な共感、隠れた親和性が存在するのではないか？　こういう疑問は、これまで誰も提示したことがありませんが、もしかすると真面目に取り上げるべき問いなのかもしれません。もし何らかの親和性があるとすれば、世界にとってかなり不安なことです。いずれにせよ、アメリカとスンニ派との奇妙な関係は重要な研究課題です。

私自身の感覚の率直な反応として、多少、シーア派の方に愛着を感じていることは認めます。私は「左翼」ですから。もちろん、イランの現体制に共感はできません。しかし、私には、西洋人としてシーア派に親近感を抱く機会がずいぶん以前からありました。

若者の過激化を研究するフランス国籍のイラン系社会学者がいるのですが、パリで会食した時に、彼にこう尋ねたことがあります。「シーア派の人間を気質の面から説明すれば、どんなふうに描けるか?」すると、「めそめそ、くよくよする人だ」と。シーア派と言えば、祭儀での鞭打ちなどが有名で、マゾヒストと思われがちなのですが、実は「泣き虫なんだ」というのです。彼が言うには、「泣くというのは悪いことではない。泣くことによって緊張を和らげ、物事を水に流し、リラックスできるからだ。むしろ泣かないで我慢すると、心が硬直し、悲劇的になる」と。

家族システムから見たイランとトルコ

同じイスラム圏でも、イラン・トルコとアラブ世界には大きな違いがあります。その違いは、家族構造の違いとしても現れています。

トルコ西部は、かなり核家族的な地域です。それ以外の大部分は内婚制共同体家族の地域ですが、それでも内婚率はそれほど高くありません。また、イラン中央部では世帯人数が少なく、核家族の痕跡が確認できます。イラン北部のカスピ海沿岸部には、女性の地位が相対的に高い地域があります。

以上のことは、まだ学者の間で通説としては認められていないので、断言はできませんが、おおよそそうした傾向が見られるのです。

家族システムの長い推移の歴史のなかで、イランとトルコには核家族に近いシステムが確認できます。つまり、国家形成に好ましい家族人類学的条件が揃っていたわけです。実際、イランとトルコは、中東の歴史のなかで国家形成の二つの極でした。

家族システムから見たスンニ派とシーア派

まだ慎重を期する必要がありますが、スンニ派とシーア派の違いも家族構造の違いに現れているように思います。少なくとも、相続の仕方に大きな違いがある。

シーア派では、後継者として息子がいなければ、娘が相続することがあります。それに対してスンニ派では、息子がいなければ、代わりに娘がいたとしても、父系の親戚筋が相続人となり、女子が相続することはありません。

ですから、女性たちの被るヴェールという見た目ばかりに気を取られてはいけません。同じイスラム圏でも、シーア派のイランは、父権性がより弱く、女性の地位がより高く、より核家族的で、より個人主義的なのです。この点を西洋は見ようとしません。ここが見えていないから、サウジアラビアに同調し、イランに対抗するというような、人類学的にはまったく不自然なことになってしまうのです。

この点は、シリア問題を始め、中東世界を考える上で極めて重要なポイントだと思います。

家族と宗教

「家族」と「宗教」の関係については、まだ断定的なことは言えません。ただ、両者は、弁証法的関係にあり、相互に作用し合いながら並行的に推移する、いわば「共＝変容〔co-evolution〕」している、と言えると思います。そして私の見方では、しばしば家族の推移の方が宗教の推移に若干先行しているように見えます。

たとえば、共和制ローマからローマ帝国への移行期に、家族構造も変容しています。夫婦カップル中心の家族〔核家族〕が主流となり、こうした家族構造の変容によって、キリスト教的な家族観が受容可能になったのです。

新約聖書には、「複合家族〔夫婦カップルが複数ある家族〕」に対して敵対的なテクストが見られます。家族や女性に言及しているテクストも、アンチ父権的です。実際、キリスト教の歴史を見れば、女性の役割は相対的に大きかったと言えます。そして、キリスト教が国教化したローマ帝国下では、キリスト教が核家族のいくつかの特徴を強化する役割を果たしました。核家族を保護し、強化する機能を果たしたのです。

つまり、核家族がキリスト教の受容を可能にし、そして次にはキリスト教が核家族を強化する、という関係にあったのです。

キリスト教の家族観の特徴をいくつか指摘できます。まず、キリスト教は「双系制」に対立しました。また、外婚制が優勢だったローマでは、「内婚制」〔イトコ婚〕も一部に存在していたのですが、キリスト教が内婚制をすっかり禁じました。これによって、完全な外婚制となったのです。エチオピア高原など、ローマ帝国の周縁部でも、キリスト教は核家族と結びつきました。

まだ研究中ですが、ヨーロッパでも、中世末期から一六世紀の宗教改革まで、キリスト教の革命と家族構造の革命は相互に混じり合いました。たとえば、プロテスタンティズムは直系家族の少し後に登場しています。そして、その後、プロテスタンティズムが直系家族を強化したのです。

プロテスタンティズムは「内面性」を重視しますが、この「内面性」重視が従来の親族ネットワークを破壊し、その反面、村落共同体の核を強化する機能を果たしました。つまり、親族ネットワークから村落共同体へ重心が移動したのですが、プロテスタンティズムがそうした社会構造の変化を促したのです。

一四五〇年～一七五〇年にかけて、ヨーロッパでは結婚年齢が上昇し、独身者が増えましたが、こうした家族構造の激変も、宗教革命なしには決して起こり得なかった現象です。

このように「家族」の歴史と「宗教」の歴史は、相互に深く絡み合っています。

4

人口学から見た二〇三〇年の世界

——安定化する米・露と不安定化する欧・中

講　演　エマニュエル・トッド氏を囲む会「混迷する世界と日本の針路」
共　催　アジアフォーラム・ジャパン（ＡＦＪ）＆文藝春秋
二〇一六年一月二六日
於・帝国ホテル
講演の記録を元に加筆修正した。

新たな世界経済危機

今日、新たな世界的経済危機が迫ってきています。どの先進国も全体としてうまく機能していません。そういう中で、先進国のどの社会がこれから到来する経済危機に最もよく抵抗できるのか、最も生き残る可能性があるのかについて、私の考えをお話しします。「抵抗」という言葉を用いましたが、これは単に経済的な意味に限られません。社会としての一体性を保全しながら生き残っていく、という意味での「危機に対する抵抗」です。

経済危機それ自体は、ここでは取り上げません。これについては、トマ・ピケティ、クルーグマン、スティグリッツといった人々の著作を読めばよいわけで、世界で格差が拡大していることはさまざまに確認できます。世界的に需要不足が顕著で、これが経済危機の原因であることも確かです。

教育・人口・家族の指標で四つの極を比較

私はこの問題に別の側面からアプローチします。社会の堅固さ、あるいは社会の脆さを、経済よりもさらに深い層から見ていくアプローチです。私が取り上げるのは、言ってみれば、「社会的な下意識」です。「意識」でも「無意識」でもなく「下意識」に注目します。

そこで重要となるのは、教育の進歩や発展に関する指標です。とくに高等教育の進学率の推移を見ていきます。さらに、下意識よりも下にある無意識、「社会的な無意識」と呼んでもいいような層にも目を向けます。そこを明らかにするのは、家族構造のあり方です。なぜならば、その家族構造のあり方によって、出生率などにも大きな違いが生まれ、社会全体のあり方も大きく規定されるからです。たとえば、核家族が伝統的である社会では、個人主義的な傾向が強く出てきます。直系家族の社会では、世代間の連帯が重視されます。共同体家族の社会では、兄弟間の連帯が特に重視されます。このような家族構造の違いによって、社会としての一体性のあり方にも違いが出てきます。

今後の世界を占うために私が目を向けるのは、アメリカ、ロシア、中国、ヨーロッパという四つの極です。最後に日本にも言及します。

今回は非常に図式的な説明にとどまりますが、四つの極について、教育や学歴のあり方、家族形態、出生率などを見て、どの社会、どの極が安定的で、どの極が不安定であるかを考えていきます。その結果、日本がどの国を信頼し、どの国と連携するのが賢明なのかについて、少しでもヒントになればと願っています。

最初に危機を経験したアメリカ

まずアメリカです。言うまでもなく、アメリカは世界最強国ですが、このアメリカというテーマについては、私はこれまでさまざまに躊躇と逡巡をしながら発言をしてきました。『帝国以後』を発表した二〇〇〇年代前半には、私はあたかもファナティックな反米主義者であるかのように見做されたこともありましたが、今日はまったく客観的な立場から、アメリカについて若干のことを申し上げます。

アメリカに特徴的なのは、高等教育の普及が世界のどの地域よりも早く、しかも一世代、二世代も早く起こった、ということです。**グラフ1〜グラフ9**は、各国の高等教育の進学率の推移を示したものですが、たとえば、一九六〇年の時点で二〇歳だった人が三〇歳〜三五歳の時点でどの程度の高等教育を受け終えていたかを示すものです。アメリカでは他国に比べて圧倒的に早い時期から高等教育が普及していたことが分かります。

しかし、高等教育の普及がいち早く進んだアメリカは、その後、教育の停滞期を迎え、文化的な危機の時代に入ります。およそ一九六五年から一九九五年にかけて、高等教育進学率の伸びが頭打ちになるとともに、若者の自殺が増え、社会的な不信感が拡がり、弁護士ばかりが増え、訴訟が激増しました。他国に先駆けて先進国特有の危機を経験したのです。

安定化に向かっているアメリカ社会

ところが、一九九五年以降は、自殺率も低下し、ティーンエイジャー女性の妊娠なども減り、さまざまな点で社会が安定化に向かいました。

このようなアメリカ社会の内部の安定化は、アメリカの対外政策や国際情勢によって、かえって見えにくくなっていたように思われます。ソ連崩壊後、ネオコンサバティブ〔新保守主義〕が高揚し、アメリカ外交も冒険的なものになり、ブッシュ〔ジュニア〕大統領のイラク戦争のような行動につながりました。経済面でもバランスを欠き、膨大な貿易赤字を記録しました。しかしながら、この間、アメリカの社会自体は、次第に安定期に入っていたのです。

このことは、オバマ政権となった今日では、さまざまに確認できます。出生率は約二・〇で、人口学的に安定しています。高学歴の女性が増え、働きながら子供を産み育てる状況も広がりつつあります。対GDP比で六％にまで達していた貿易赤字も改善されつつあります。社会の安定化のポジティブな反映がデータに現れてきているのです。

表１　各国の基礎的指標の比較

	出生率	年齢中央値	年齢中央値	年齢中央値	外国人の割合	外国出身者の割合	貿易収支（最近１年）
	2015	2010	2030	増減	2012	2012	% GDP
米国	1.9	37.1	39.5	2.4	6.8%	13.0%	−2.5
英国	1.9	39.8	42.3	2.5	7.5%	11.9%	−4.4
ドイツ	1.4	44.3	49.1	4.8	8.8%	13.3%	+6.3
スウェーデン	1.9	40.7	41.2	0.5	7.0%	15.5%	+6.3
フランス	2	40	42.3	2.3	6.4%	11.9%	−0.3
日本	1.4	44.9	51.6	6.7	1.6%		+3.3
韓国	1.2	37.8	47.2	9.4	1.9%		+8.0
ロシア	1.8	38	42.4	4.4	0.4%	7.9%	+5.2
中国	1.7	34.6	42.1	7.5			+3.2

グラフ１　高等教育進学率の各国比較

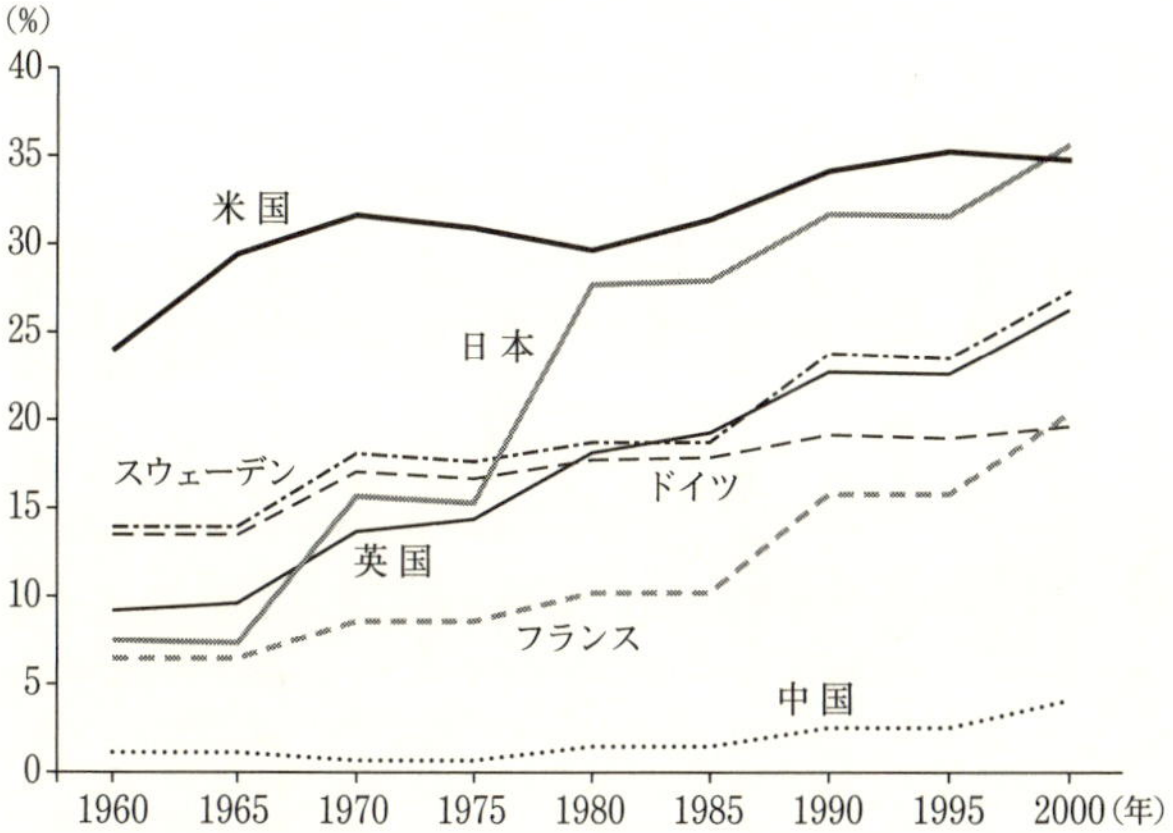

＊このグラフは、当該年に 20 歳だった者のうち、その後高等教育を受けた者の割合を示す。以下も同様。
Barro-Lee Educational Attainment Dataset
http://barrolee.com/ 以下も同様。

グラフ2　米国の高等教育進学率（男女別）

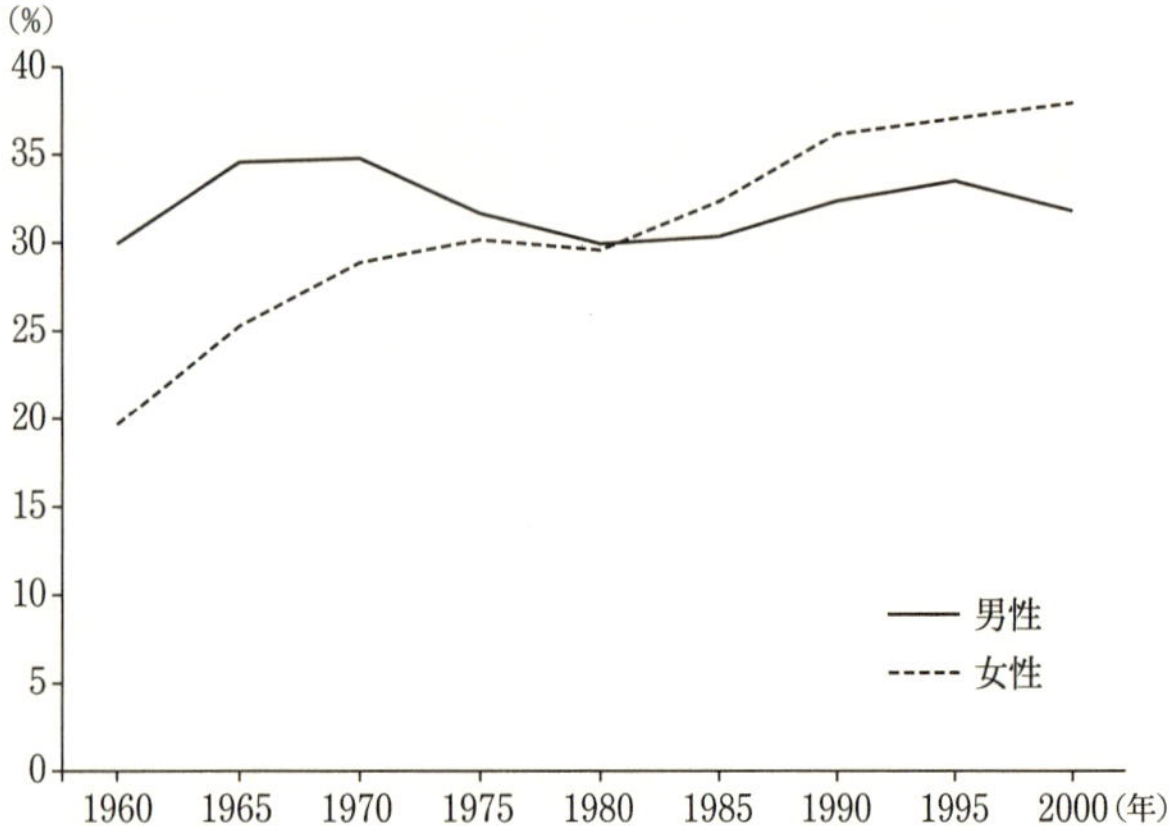

とはいえ、「安定性」と「活力に満ちたダイナミズム」は混同できません。現在のアメリカは、「安定的」ではあっても、「ダイナミック」ではありません。とくに気になるのは、男性の高等教育進学率です。女性の方は緩やかに上昇しているのに、男性は完全に停滞状態にあることが確認できます。

ロシアの復活

次はロシアです。基本的に同じような観点から四極を見ていくことになります。

ロシアの近年の歴史は特殊なものでした。ソ連崩壊の後に、国家の崩壊・社会の崩壊という、さらに困難な時期を迎えました。非常にドラマチックな形で危機を経験したのです。

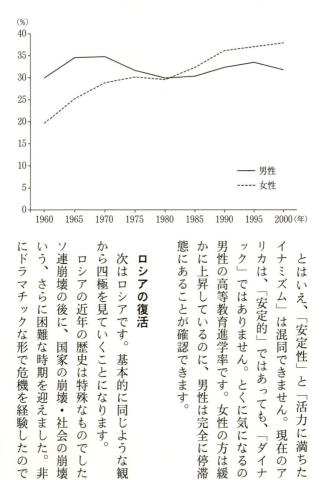

グラフ3 ロシアの高等教育進学率（男女別）

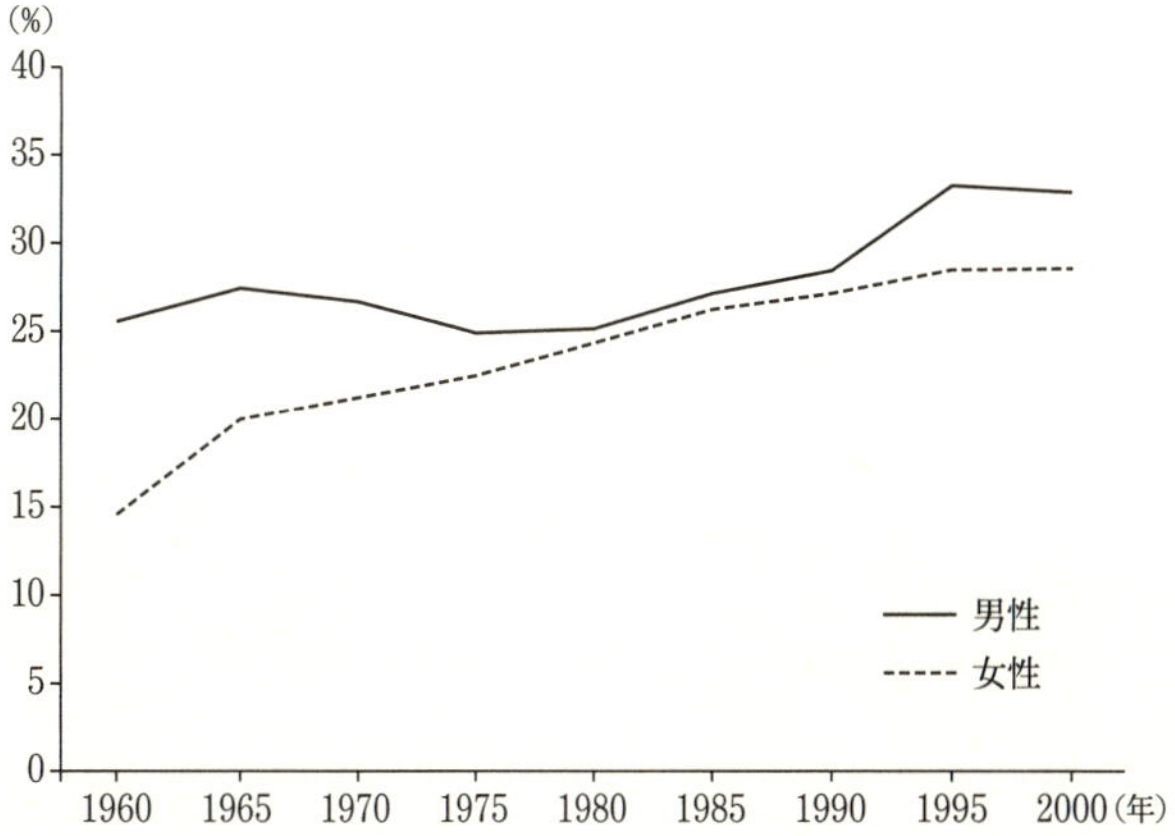

しかしながら、ロシアは、結局のところ、この危機を耐え抜き、生き延びました。いまや均衡状態、安定状態へと返り咲いたと言えるのです。

たとえば、高等教育進学率の伸びにそれが現れています。とくに女子の伸び率の高いことが注目されます。

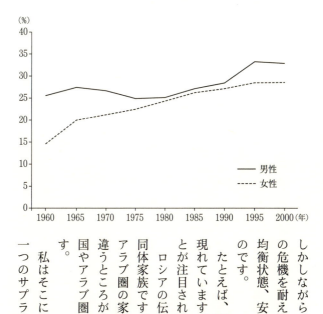

ロシアの伝統的な家族構造は、父権的な共同体家族です。この点で、中国の家族構造、アラブ圏の家族構造と似ています。ただ一点、違うところがあります。ロシアの場合は、中国やアラブ圏と比べて女性の地位が高いのです。

私はそこにこそロシア復活の秘密があって、一つのサプライズが起こっているのではないかと思っています。

かつてCIAは、「ロシアは人口の減少によって崩壊する」と予測しました。しかし、これはまったくの誤りでした。むしろ先進国のなかで出生率を劇的に回復した唯一の国がロシアだったのです。

現在のロシアの出生率は、一・八です。人口を再生産し、社会を維持していくのに必要な水準に極めて近いパフォーマンスを示しています。乳幼児死亡率や平均余命も大幅に改善されています。

ウクライナ危機の真相

ウクライナ危機も、この観点から見直す必要があります。

アメリカのイニシアティブなのか、ドイツのイニシアティブなのかは、なかなか分かりにくいところですが、この危機は、少なくとも部分的には西側によってつくられたものなのです。

そもそもウクライナは、国民国家としては半ば崩壊している社会です。そのため、多くの人が移民として流出しています。ではどこへ移民するか？　最も簡単な行き先はロシアです。ウクライナ人はロシア語を話しますからね。

この観点から言えば、ウクライナ危機によって結果的に利益を得たのは、実はロシアなのです。これによってロシアは人口を増やすことができ、しかも教育水準の高い人口が流入してくるからです。

ロシアの関心は領土の拡張にありません。すでに広大な国土を有しているからです。問題はむしろ、広い国土に対する人口の少なさです。領土ではなく人口こそ、ロシアの問題なのです。

ロシア語を話せる教育水準の高い移民の増加はロシアには願ってもないことで、人口学的なボーナスです。ウクライナ危機から、意外でパラドクサルな結果が生まれていると言えます。西側のメディアは、ウクライナ危機の本質をほとんど理解できていません。

自分たちの未来を信頼しているロシア

もちろん、西側の世界でプーチン大統領が嫌われていること、ロシアの体制は反民主的だと批判されていることは承知しています。しかしながら、人類学者の立場から見れば、そもそもロシアには集団主義的な伝統があるわけです。共産主義が崩壊した後も、共同体家族に由来する集団的行動の文化を維持していると見ることができます。世界的な現在の危機を前にしても、他の先進国が過剰な個人主義のせいで集団として一体となって対処できていないのに対し、むしろロシア特有の集団主義が強みを発揮しているように見えます。「原油価格の低下でロシアは崩壊する」「ウクライナ危機を理由とした西側の経済制裁にロシア経済は耐えられない」という声を聞きますが、皮相な見方です。多少の経済的苦境に陥っても、ロシア国民はパニックを起こさず、持ちこたえるでしょう。それだけ政府が信頼されているからです。

ソ連崩壊後の危機を何とか生き延び、再び均衡を見出したロシア国民は、自分たちの社会の未来に不安を覚えていません。自分たちのネイションを信頼しているのです。この意味で、ロシアは安定の極と言えます。

ロシア脅威論は幻想にすぎない

ロシアの自己への信頼感は、シリアでの行動など、とくに軍事領域において確認できます。ロシアは、もはや何も恐れていません。社会的な信頼感が軍事領域にも表れているということです。

とはいえ、ロシアがかつてのソ連のような強大な帝国になるわけではありません。これは、ロシアがそのような意志をもっていないというだけではなく、客観的に言えることです。人口が一億四〇〇〇万人で日本と同規模である以上、大帝国化など不可能なのです。ロシアは、中級のパワー、安定的で保守的なパワーとして再擡頭しているのであって、西側諸国のロシア脅威論は幻想です。

中国超大国論は神話にすぎない

次に中国です。中国については、日本のプレスでもさまざまにコメントする機会が別にありましたので、手短に済ませます。

最近になって「中国の危機」を言い立てる人が増えていますが、「このまま行けば中国は世界の超大国になる」と言われ始めた当初から、そうした見方に強い疑念を呈し、「中国の将来には悲観的にならざるを得ない」と常に指摘してきました。今日の現実を見れば、今さら強調するまでもないことでしょう。

「中国は超大国」というのが神話にすぎないことは、たとえば**グラフ4**を見ていただければ一目瞭然です。高等教育の進学率が五％未満で、他国と比べて極端に低い水準にあります。これだけでも、中国は、他の先進国より半世紀ないしは一世紀遅れていると言えるわけです。

中国の将来を悲観する理由

私が中国の将来を悲観するもう一つの理由は、出生率にあります。

中国の出生率は急激に低下しました。さらに出生の実態に注目すると、異常事態が起きていることが分かります。女子一〇〇人に対して男子一一七人で、出生の男女比が異常なのです。これには、中国の家族構造の父権性が影響しています。超音波検査で男女の産み分けが技術的に可能になり、女児を忌避し、男児を選好する、かなり歪《いびつ》な堕胎が行われているのです。人口学者であれば、中国の将来を楽観視などできません。

経済にもアブノーマルな点が見られます。GDPに占める「総固定資本形成〔インフラ整備などの公的および民間の設備投資〕」が四〇～五〇％と異様に突出しているのです。この過剰な設備投資が、いつバブルの崩壊を引き起こしてもおかしくありません。

中国の経済政策は、中国みずからによって選択されたものではありません。むしろ西洋の資本主義、多国籍企業の道具になり下がっています。結局のところ、この領域において

グラフ4　中国の高等教育進学率（男女別）

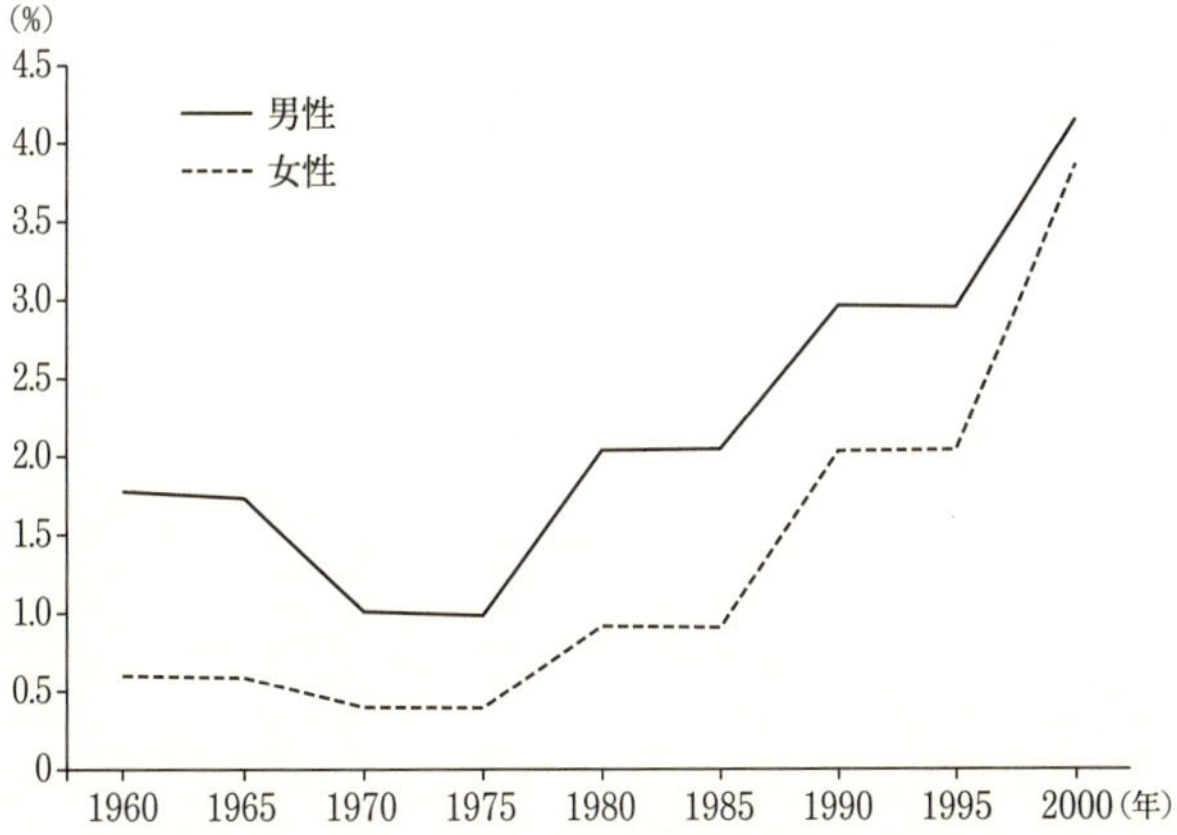

グラフ5　日本の高等教育進学率（男女別）

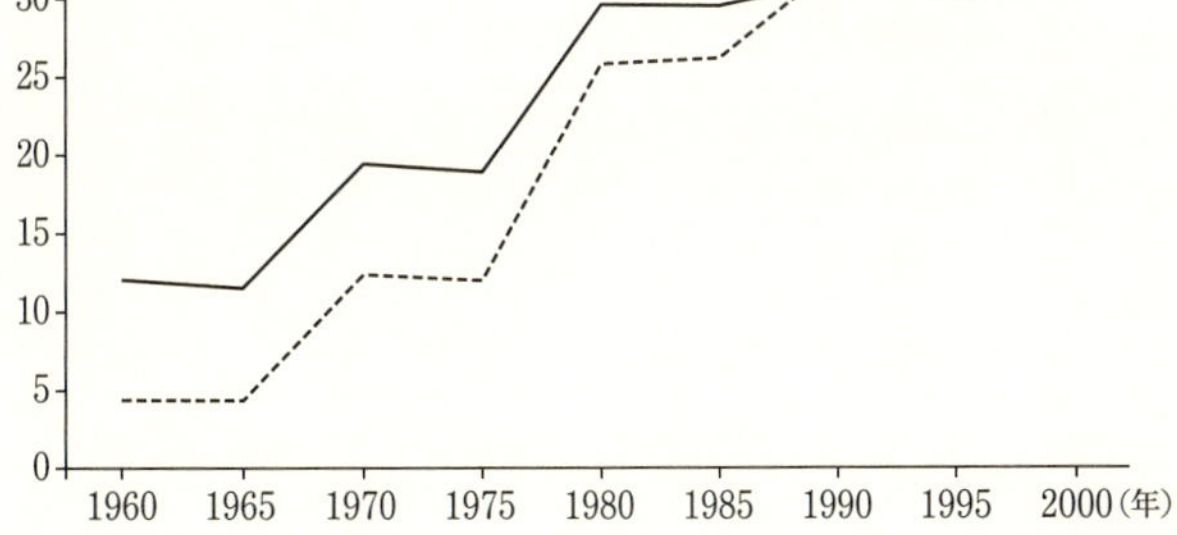

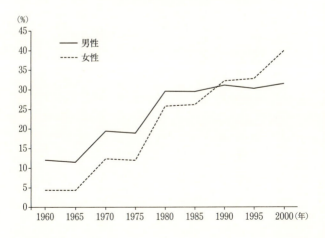

も、中国は自ら決定し、自ら実行する国家として機能し得ていないのです。

今日の新聞の中国報道を見ますと、経済の問題ばかりが取り上げられていますが、中国は、経済問題以上に人口問題でより深刻な危機要因を数多く抱えています。とくに急速な少子高齢化は深刻で、一〇億人の人口ピラミッドの逆三角形構造は移民導入によっても絶対に解決できません。これだけを見ても、中国は不安定な極と言わざるを得ないのです。

「ヨーロッパ」など存在していない?

次にヨーロッパです。

二〇〇二年刊行の『帝国以後』では、私は「ヨーロッパ」への希望、とくに仏独の協力による欧州の自立と安定への期待を語りましたが、これは大きな間違いでした。私も間違えることがあるのです(笑)。

そもそも、現在、「ヨーロッパ」というものが存在しているのかどうか、ヨーロッパがヨーロッパとして同質的に存在しているのかどうかを疑う必要があります。

グラフ6〜グラフ9が示しているように、ヨーロッパの各国で高等教育進学率の推移には大きな違いが見られます。イギリスは、上昇を続けています。スウェーデンは、とくに女子の進学率が高い伸びを示しています。フランスは、上昇のスタートは遅れましたが、その後、速いスピードで伸びています。それに対し、ＥＵの最重要国であるドイツでは、逆の現象が起きているのです。男性ではむしろ高等教育進学率は低下しています。

このように、ヨーロッパの各国は異なる社会状況にあることが確認できます。**表1**から分かるように、出生率にも大きな違いが見られます。イギリス、フランス、スウェーデンが二もしくは二に近い値であるのに対し、ドイツだけは一・四なのです。

不安定なドイツ社会

『「ドイツ帝国」が世界を破滅させる』でも詳しく論じましたが、ヨーロッパをめぐる今日の最大のパラドクスは、不安定なドイツがヨーロッパのイニシアティブを握っているという点にあります。

ドイツ経済のパフォーマンスはとてつもなく、東西統一後の苦難を乗り越え、その後グローバリゼーションに見事に適応したことは、ある意味で素晴らしい。輸出が堅調で、金融資産も豊富にあり、ドイツ経済は極めて好調に見えます。

しかし「経済」だけを見ていてはいけません。「人口」面で大きな問題を抱えているので

グラフ6　英国の高等教育進学率（男女別）

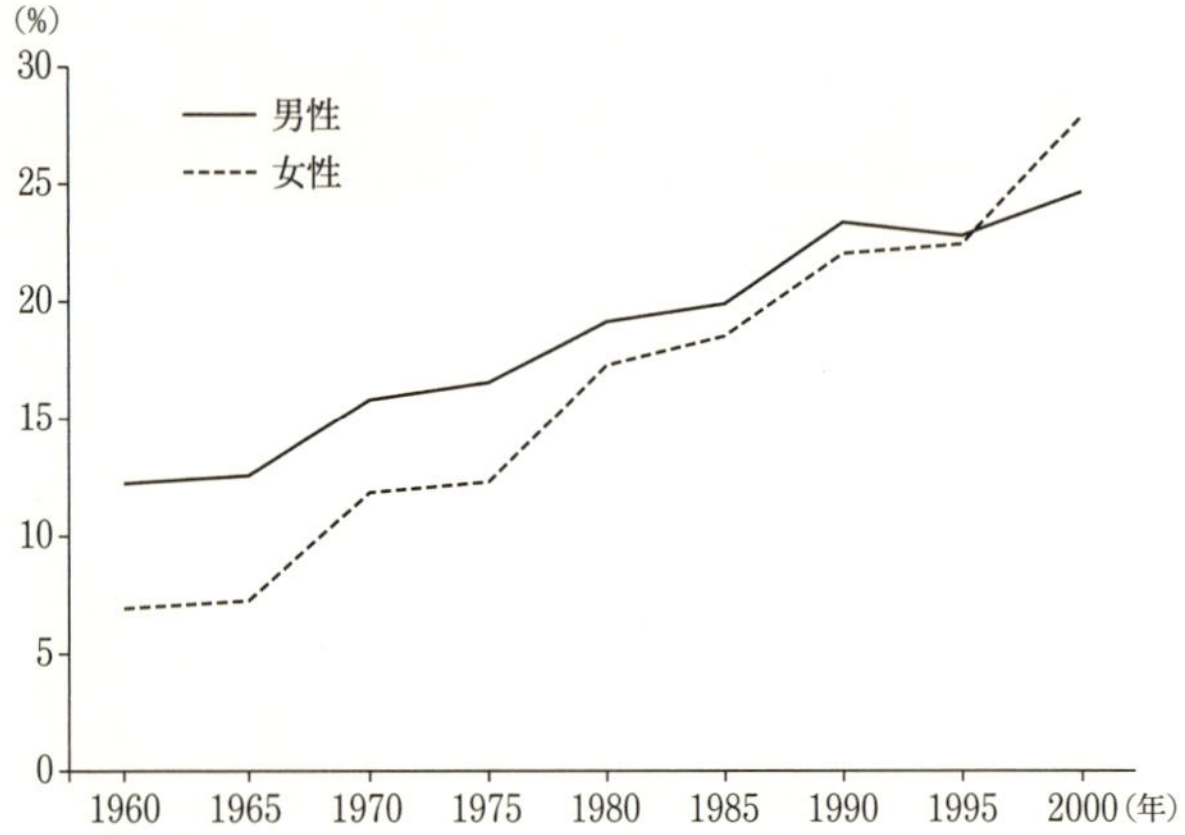

グラフ7　スウェーデンの高等教育進学率（男女別）

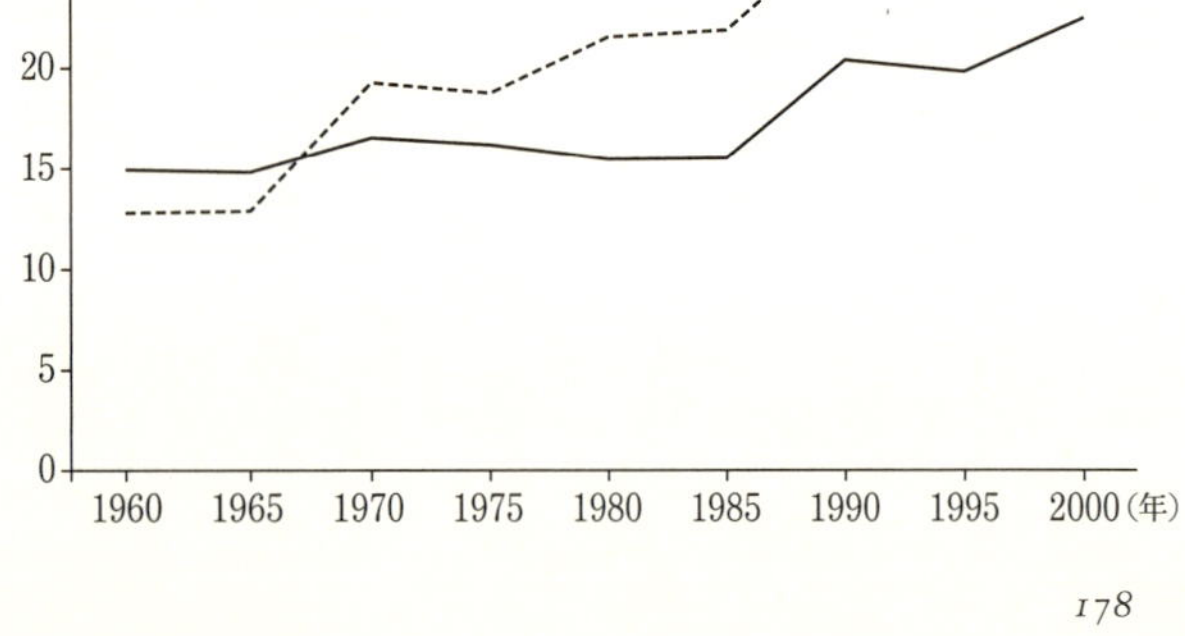

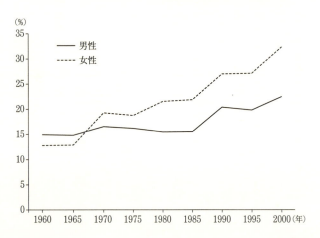

グラフ８　フランスの高等教育進学率（男女別）

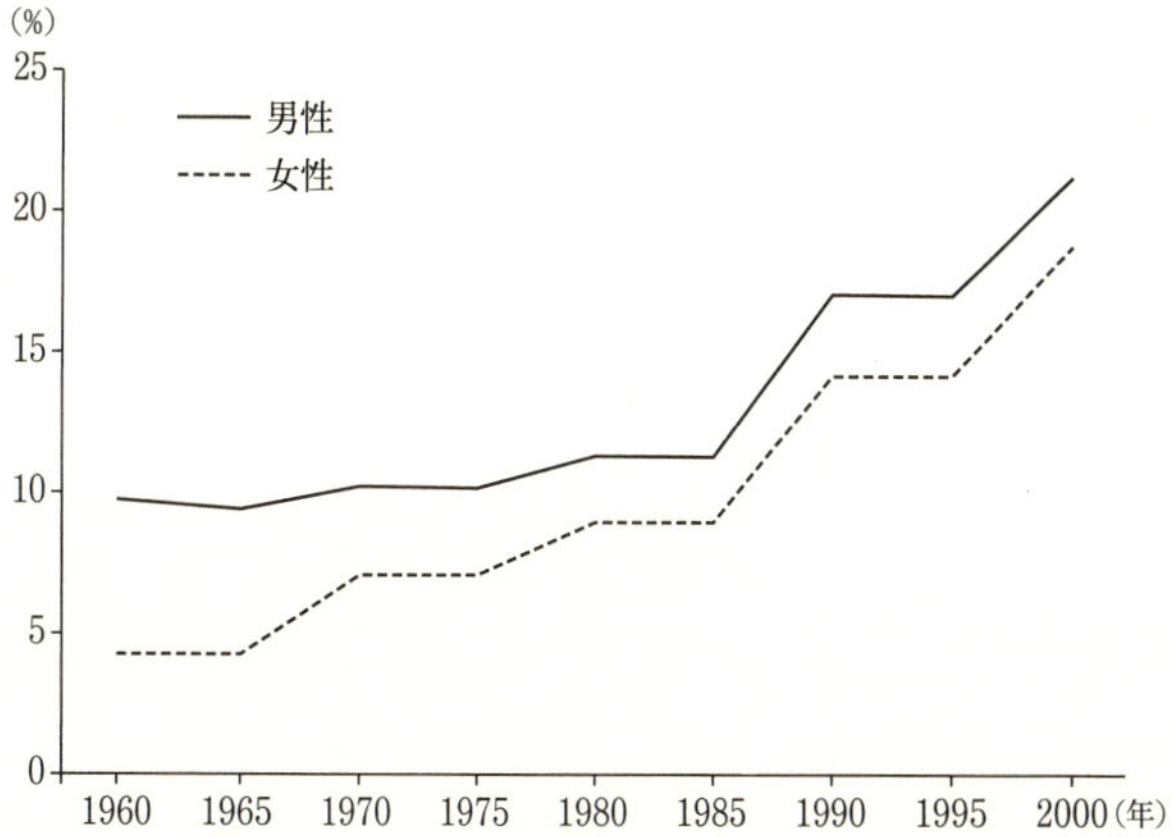

グラフ９　ドイツの高等教育進学率（男女別）

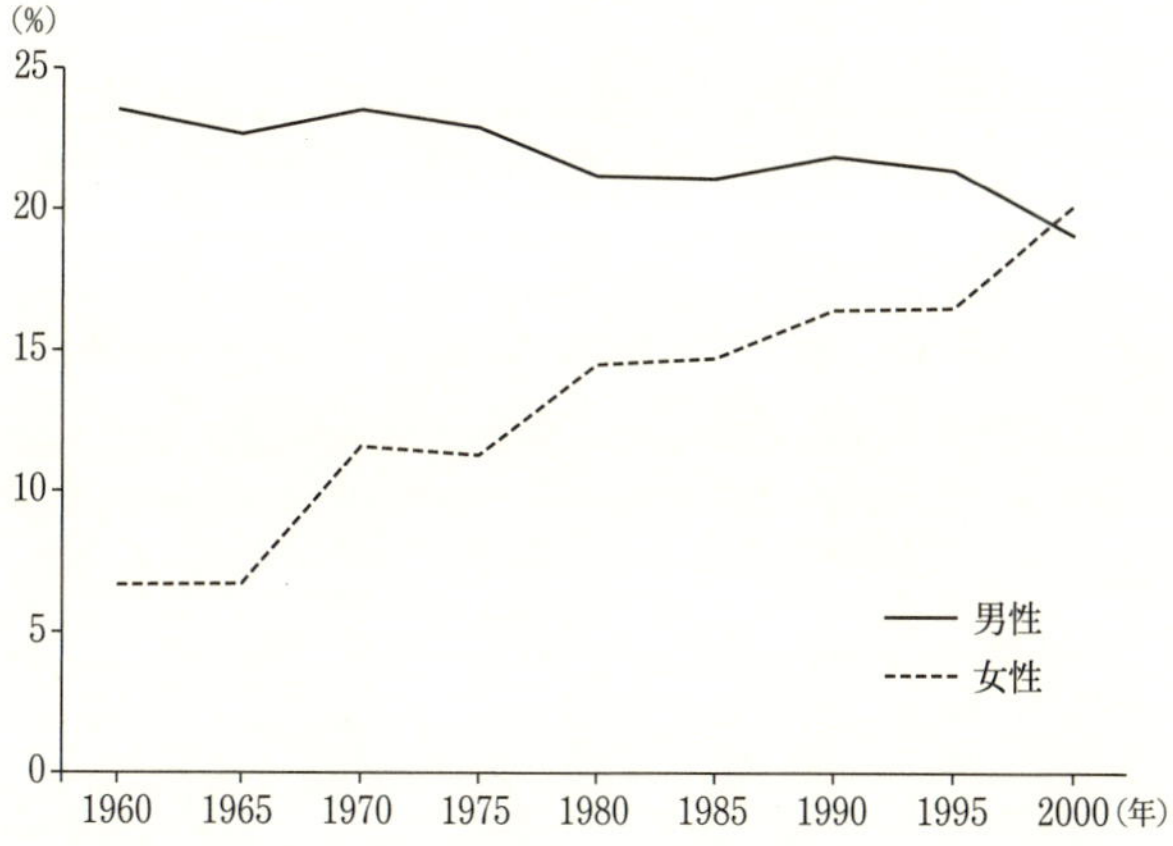

すから。

男子の高等教育の進学率は、停滞どころか低下しています。出生率は一・四で、少子高齢化が急速に進んでいます。このような人口学的指標、社会的指標をよく見れば、ドイツのことを均衡状態にある安定した社会であるとは決して言えないのです。

そういう不安定なドイツに率いられている以上、ヨーロッパは安定の極とは言えません。とくに懸念すべきは、地政学的な観点から見たドイツの行動のあり方です。

現在のドイツ外交はリーズナブルなものとは言えません。パワーを求めています。日本もドイツと同じように出生率が低く、人口減少に悩んでいますが、日本はその意味でのパワーを追求しているようには見えません。移民を受け入れようとしていないからです。

その点、ドイツは大きく異なります。ドイツは、いわば戦略的に、絶え間なく労働力人口を獲得しようとしています。南欧に対しても、東欧に対しても、安価で良質な労働力を求めているように見えます。それに加えて、中東からの難民の大量受け入れも表明しました。

移民大量受け入れのリスク

移民の問題については、誤解のないように、私の立場について補足させていただきます。私は、フランスでは、「イスラム系移民の擁護者」と見做されています。シャルリ・エブド事件以降、フランスでイスラム恐怖症が高まるなか、孤立も覚悟して、『シャルリとは誰か？』を書きました。ですから、私に対して「反イスラムの移民排斥主義者だ」という批判は当たらないと思います。

私は基本的に移民を擁護する者、移民賛成派です。ただし、移民の無制限の受け入れを無責任に擁護する者ではありません。現実を客観的に見れば、ドイツによるシリア難民、中東移民の大量の受け入れは、危険な行為であると言わざるを得ません。文化的な差異というものは、簡単に見くびってはしっぺ返しを食うような、無視できないものだからです。

ドイツには大勢のトルコ系移民が暮らしていますが、彼らの社会統合は成功しているとは言い難い状況です。ドイツが完全な外婚制〔イトコ婚の禁止〕であるのに対し、トルコ人の内婚〔イトコ婚〕率は約一〇%で、ここにトルコ人社会とドイツ人社会の大きな文化的な違いがあります。

ところが、シリア人の内婚率は約三五%なのです。内婚率が高い社会は、集団として閉じた社会を形成する傾向があります。ここから指摘できるのは、トルコ移民の社会統合よりもシリア移民のそれの方がはるかに難しいということです。

ドイツでは、すでに存在するトルコ系移民の統合すらうまくいっていません。にもかかわらず、ドイツはシリア移民を大量に受け入れようとしています。人口問題を安易な方法で解決しようとして、つまり人口減少によるパワーの減退を手っ取り早く移民で補う安易な政策を採ることによって、みずから危険を引き寄せているのです。

このように今日、ヨーロッパは非常に不安定な状況にあります。今後の二〇年は、EUが一体性を強めて堅固になっていく時代というより、むしろEUが瓦解していく時代となると思われます。

米露こそ日本のパートナー

最後に日本に触れたいと思います。

安定した対外関係は、安定に向かう国との関係から得られますから、日本のパートナーにふさわしいのはアメリカとロシアです。

英米系の地政学者は「海洋勢力」(日米英)と「大陸勢力」(中露)を区別しますが、日本人はこの二分法に陥るべきではありません。ロシアとの関係構築は、中国の存在を考えれば、地政学的に理に適っています。ただそれをアメリカの尊厳を傷つけない仕方で進める必要があります。

一方、アメリカには、もはや「世界の警察官」を独力で担《にな》えるだけの力はありません。オバマ大統領は「アジア重視」を掲げているのに、この地域に空母は一隻しか配備できていません。その意味で日本は自主的な防衛力を整えつつ、アメリカを助けるために、これまで以上に軍事的、技術的に貢献すべきです。

これは「日本の軍国主義化」を意味するわけではありません。ヨーロッパから見て、日本のイメージは悪くありません。「伝統」と「モダン」が絶妙にブレンドされた、洗練された国というイメージです。ただ、「第二次大戦時の軍国日本の横暴」という中国のプロパガンダは無視できない影響力を持っています。「サムライと特攻隊の国」という強烈な印象も残っています。さらに日本人自身が自分たちの国が危険な国であると必要以上に思い込んでいるようです。

しかし、安全保障は、過去の歴史とは区別してプラグマティックに考えるべきです。確かに明治以降、欧米を模倣して日本も軍事大国化しましたが、日本の長い歴史から見れば例外的な一時期です。むしろ総体として平和の歴史でした。とくに江戸時代には、二五〇年もの間、戦争をせずに文化と経済を飛躍的に発展させたのです。世界的にも稀なことです。半ば冗談ですが、日本はそうした平和な歴史をアピールしながら、アメリカを助けるために一隻か二隻、空母をつくるべきです(笑)。

日本の唯一の問題は人口問題

そんな日本にも、一つだけ問題があります。人口問題です。日本の最高の長所は日本の唯一の問題にもなりえます。それは完璧さに固執しすぎることです。少子化を放置し、移民も受け入れないとすれば、日本社会そのものが存続できません。

移民を受け入れない日本人は排外的だと言われますが、実は異質な人間を憎むというより、仲間同士で互いに配慮しながら摩擦を起こさずに暮らすのが快適で、その状況を守ろうとしているだけなのでしょう。その意味で日本は完璧な社会です。

しかし出生率を上げるには、女性により自由な地位を認めるためには、不完全さや無秩序も受け入れるべきです。子供をもつこと、移民を受け入れること、移民の子供を受け入れることは無秩序をもたらしますが、そういう最低限の無秩序を日本も受け入れるべきではないでしょうか。

5

中国の未来を「予言」する——幻想の大国を恐れるな

原　題　幻想の大国を恐れるな
初　出　『文藝春秋』二〇一五年一〇月号
二〇一五年度「文藝春秋　読者賞」受賞作

中国は「帝国」ではない

ここ最近の株価の下落や経済成長率の鈍化などを見て、「中国の危機」を言い立てる人が急に増えてきました。しかし私は、中国が桁外れの経済成長を続け、「このまま行けば世界トップの国になるかもしれない」などと言われていた時代から、「この国は非常に不安定で、問題の多い国家だ」と常に指摘してきました。中国はずっと以前から不安定化に向かって走っており、いまは危機の兆候が顕在化してきたと見ています。

はじめに断っておきますが、私は中国の専門家ではありません。そして、現在の中国が完全に悲観的な状況にあるとも考えていません。中国がここ三〇年間で、急速にしかも途轍もない経済成長を遂げ、豊かになったのも事実です。このことを前提にして、中国の現状を分析し、中国の何が問題で、隣国である日本はどのようにこの大国と向き合うべきなのかについて、論じていきたいと思います。

最近よく「中国は現代における『帝国』なのか」という質問を受けます。「現代における『帝国』」とは、経済的にも政治的にもヨーロッパ大陸のコントロール権を握る、いまのドイツのような存在です。

この質問に対する私の答えはもちろん、ノーです。

経済的に見ても政治的に見ても帝国ではないと言い切ることができますが、まずは経済的な側面から見ていきましょう。中国の経済は確かに急成長を遂げてきました。しかし、それは自立的に達成したものではまったくありません。アメリカやヨーロッパ、そして日本の資本家たちが中国にたくさん投資し、そしてまた中国からたくさん輸入する――このモデルを作って、中国の最高指導者たちに受け入れさせてきた。これこそが、中国の経済成長の実態です。つまり、この経済的な繁栄は、中国の指導者たちが有益な決断を主体的に下した結果、得られたものではなく、経済的な力関係の中で、西洋の資本主義諸国から押し付けられたものを受け入れたからこそ得られたものなのです。一見、中国の最高指導者たちは賢そうに見えますが、実はそう賢くもありません。彼らの進路を決めてきたのは、中国の膨大な人口を安価な労働力として「使ってきた」西洋のグローバル企業なのです。

軍事的に見ても、他の大国に比べれば軍事技術で非常に遅れをとっているため、強さはあまり感じられない。しかも、アジアで覇権を握れているかというと、まったくそうではありません。むしろ、ベトナム、フィリピン、韓国、日本など、中国の覇権を拒否し、アメリカという帝国のシステムの下に入ることを選んだ国々に囲まれています。

ですから、中国は途方もなく大きなネイションではありますが、帝国と呼ぶことは決してできないのです。詳しくは後述しますが、私が危うさを感じているのは、その巨大なネイションが、かつてのヨーロッパの大国と同じような帝国主義的な振る舞いをしていることです。

歪な人口構成

次に、現在の中国が抱えている大きな問題点を見ていきましょう。まず一つは、私の専門分野である人口の問題です。中国では現在、猛スピードで少子高齢化が進んでいます。まだ国家全体が豊かになっていないために、年金をはじめとする社会保障制度の整備もできないまま、高齢化社会を迎えてしまった。これが近い将来、社会不安を増大させることは間違いありません。

それに加えて、中国では、男女の出生数に著しい差があります。国連の統計によれば、中国では女子の出生を一〇〇とすると、男子の出生は一一七。世界の平均は女子の出生一〇〇に対して男子の出生は一〇五か一〇六。一〇七を超えると不均衡とみなされますから、この数字がいかに歪かということがよくわかります。

これだけ男女の差が生じているのは、女子を妊娠したことがわかると選択的に堕胎を行なっているか、出生しても当局に申告していないか、どちらかの理由が考えられます。いずれにせよ、この事実は、中国が依然として前近代的な父権主義社会であり、それが人口動態に大きなバランスの変調をもたらしていることを示しています。そして、これだけの男女数の差は、将来のこの国の社会構造によい影響をもたらさないことは、火を見るよりも明らかです。

過剰な設備投資

二つ目の問題は、やはり経済です。中国はGDPで日本を抜き、世界第二位の経済大国になりました。しかし、実体が伴っていません。GDPの内容を分析すると、全体の四〇から五〇%を公的機関や民間によるインフラ整備などの設備投資〔総固定資本形成〕が占めています。この数字からわかるのは、マンション建設などの不動産のほかに、道路、空港、鉄道の整備に特化した投資が行われているということです。

これでは、経済全体を国家に隷従させた旧ソ連のスターリン主義的な経済メンタリティーと、さほど変わりがありません。つまり、共産主義から脱却し、近代化されたと多くの人に考えられている中国の経済運営は、依然として古臭いものなのだと考えるのが妥当なのです。一方でＧＤＰに占める個人消費は三五％と、著しく低い。日本やアメリカの個人消費が占める割合は六〇から七〇％台ですから、その低さは明らかで、この数字は中国経済がいかに外需に依存しているかを示しています。

ただし、中国が世界経済や金融界において重要なアクターになっているのは事実であり、二〇一四年、ＡＩＩＢ〔アジアインフラ投資銀行〕の設立が大きな話題を呼んだのは記憶に新しいところです。

しかし、私はＡＩＩＢの設立は、時期尚早だったと考えています。中国はまだ未熟で、自立できていない国です。それが、自分のサイズを超えて手を広げているように見えるのです。中国は海外で多くの投資を行い、さまざまなものを買いあさっていますが、それ自体は経済的な成熟の証ではありません。むしろ自国内でお金を使っていないことを表しています。自国の国民に対して使うべき富を海外に流出させているのです。

中国を過大評価する欧州エリートの思惑

これ以上、中国の経済の細かい現状や人民元の将来について議論を展開する資格を私が持っているとは思いませんが、一つだけ言っておきたいことがあります。それは、二〇一五年八月に数回にわたって行われた人民元の切り下げについてです。私は以前から、中国は輸出頼みの不安定な経済構造から脱却し、国内需要を中心とした安定的な経済構造に変わっていくべきだと繰り返し主張してきました。しかし、今回の元の切り下げを見る限り、通貨を安くして輸出品の価格を下げて経済成長を目指すという、従来の経済政策を続けようとしているのは明らかです。

ところが今回の人民元の切り下げに関してフランスやイギリスのメディアが報じたのは、本来伝えるべき「これは大変なことが始まった」という危機感ではなく、「人民元が国際的にまともな通貨となる表れだ」などといった好意的な評価でした。

私に言わせればこれこそが、中国の現状を直視しないヨーロッパ人の典型的な姿なのです。客観的なデータや状況をつぶさに分析すれば、中国を必要以上に大きく見ることはできないはずです。では、彼らはなぜ、中国に対してだけは肯定的な意見を述べて、楽観論を繰り返すのでしょう。それは、世界のネオリベラリズム〔新自由主義〕と関係があります。

ネオリベラリズムのイデオローグたちにとって中国は、莫大な利潤を効率的に稼げる、都合のいい存在です。西欧で売られるモノの価格と、中国の労働者の安い賃金で製造される原価との差額によって生み出される利潤には、大きな魅力がある。だからこそ彼らは、中国の能力への誇張と言わざるを得ない言説をメディアに撒き散らし続けているのです。そうした勢力と中国は一種の利益共同体になっているのではないかというのが私の見方です。

「幻想の中国」と「現実の中国」

私は、この地球上には、二つの中国があると考えています。一つは「幻想の中国」で、もう一つは「現実の中国」です。ヨーロッパの多くの知識人たちは前者の「幻想の中国」だけを見つめています。「幻想の中国」では、経済成長がさらに進み、富は公平に分配され、有能な指導者が共産主義から資本主義への転換を成功させると考えられています。

しかし、「現実の中国」は、急激に進んだ経済成長がもたらした不安定さを抱え、苦悩し続けています。中国の最高指導者たちは、一三億の人民を支配しているのだから自分たちは素晴らしい実力を持っていると思い込んでいるかもしれません。しかし実際のところは、国内に大変なアンバランスが生じている現状をうまくマネジメントできず、戸惑い、途方に暮れているのが実情なのではないでしょうか。

悲観的シナリオしか考えられない

私は、人口学的見地からソビエトの崩壊を予想して以来、「予言者」のように言われることがあります。そんな人生を望んではいませんでしたが、多岐にわたる問題について、人口学的、家族構造的、社会学的な観点から二〇年先を予言することを求められる人生になってきています。しかし、現時点で中国の今後に関する予言はできません。それは数えきれないほどのシナリオが考えられるからです。ただひとつ言えるとすれば、最良のシナリオだけは想像ができないということです。最良のシナリオとは、安定成長を持続し、国内消費が増え、権力は安定し、腐敗も減っていく――こういう素晴らしい未来だけは考えられないのです。したがって、中国の未来の姿は、この最良のシナリオとカタストロフィーのシナリオの間にある。逆に言えば、カタストロフィーのシナリオも考えられるということです。

ですから我々は、中国が抱える矛盾について、今まで以上に関心を払う必要があります。

本来、格差を許容できない中国の価値観

恐るべき速さで進んだ経済成長がもたらしたアンバランスの最たるもの、それが、富裕層と貧困層の間の大きな格差です。ここで強調しておきたいのは、中国における格差は、他の国以上に大きな社会問題になるということです。その理由は、中国の伝統的な家制度に関係があります。

中国では、伝統的に父親の権威が強く、その下で子供たちが一緒に暮らし、子供たちの関係が平等な共同体システムが一般的です。強い父親がいて、兄弟たちは平等にその遺産を相続していく。これは、農村の家族形態も、エリート層の家族形態も、同様です。平等主義は、共産主義革命を可能にするポテンシャルにつながります。だから中国や、同じ家族システムを持つロシアやベトナムで共産革命が起こったのは、不思議なことではないのです。しかもこの長い時間をかけて醸成された伝統的なメンタリティーは簡単になくならず、いわゆる資本主義的な社会になった二一世紀の中国にも息づいています。

ですから、そうした平等主義が意識の根底にある中国人にとって現在の格差は、他の国の人々が感じるよりも一層、受け入れがたいものになっているのです。そしてこの人民の気持ちとマッチしない現状が、社会全体に大きな緊張感をもたらしています。

一世紀遅れのナショナリズム

そこで中国の指導者たちが採用したのが、ナショナリズムを高揚させるという古典的な解決法でした。外敵を見つけて、ナショナリズムで国内を引き締めようとする。これは非常に危険なことです。ひと口に危険といっても、私が感じているのは漠然とした危うさではありません。中国が歴史の現段階においてナショナリズムを使わなければいけない状況に追い込まれていることが、危険なのです。

というのも、歴史的、文化的な観点から見ると、中国はいま、一九〇〇年ごろのヨーロッパくらいの段階にあると考えられます。その時代の欧州との共通点は、たとえば教育水準です。中国の現在の高等教育への進学率は一七%程度で、これは一九〇〇年ごろの欧州の数字とほぼ同じ。つまり、一定の教育を受けたけれども高等教育には進まない層が、マジョリティを占めている。この状態は、どこの国でもナショナリズムが激しく燃え上がる危険性を秘めているのです。実際に一九〇〇年ごろの欧州では、まさに人々がナショナリズムに没頭していきました。だから、いまの中国は危険なのです。

プラグマティックな姿勢こそ対中政策の鍵

では、そうしたナショナリズム的な情念を日本との関係性に持ち込もうとしている国を相手に、どのような戦略をもって向き合うべきなのか。私のようにパリに暮らす人間が、日本と中国の間に横たわる問題の解決策を持っているとは思えません。しかし、いくつか提案したいことはあります。

まず大事なことは、中国との関係において、シンメトリック〈対称的〉な対決の構図に入らないということです。ヨーロッパも日本も、かつてはナショナリズムの時代を経験しましたが、それを克服し、現在はポストナショナリズムの時代にいます。しかしいまの中国はナショナリズムの時代にいる。その古い時代に引きずり込まれることは、断固拒否すべきです。ポストナショナリズムの時代にいる国として取るべき態度とは何か。それは、プラグマティズム、つまり実利を最も重んじる姿勢です。プラグマティックな態度をとることによって、日本の防衛力の強化を、日本の過去と結び付けない、また結び付けられないようにすることが肝要だと私は思っています。

日本は、戦後七〇年経ったいまも、中国との戦争を起源とした諸問題を抱えています。靖国神社や南京大虐殺の問題などは、中国政府に政治的に利用されています。絶え間なく

〝現在の政治的問題〟として使われており、日本は常に歴史法廷の被告席に立たされています。

しかしそこで、ナショナリズムで頭がいっぱいになっている人たちの危険なゲームには決して加わってはいけません。日本がとるべきプラグマティックな態度とは、極論すればたとえば靖国神社の存在を忘れるということ、現実的な話をすれば靖国にこだわらない、当面こちらから棚上げにするということです。そうしてナショナリズムのイデオロギーと結びつけられることを注意深く排しつつ、同時に、防衛力を強化するのです。

プラグマティックな態度のモデルはいくつかあります。ひとつは、日本とアメリカの関係です。アメリカは広島と長崎に原子爆弾を落とし、甚大な被害を日本にもたらしました。しかしアメリカはこのことについて一度も公式に謝罪していませんし、日本のほうから謝罪を求めることもない。意識的にせよ無意識にせよ、解決不能な心理的な衝突を回避することによって、日米の円滑なパートナーシップを優先させているのです。

もうひとつの好例は、ベトナムです。現在のベトナムは、アメリカと緊密な関係にあります。もし私がベトナム戦争の頃に、「将来ベトナムがアメリカと友好関係を結ぶ」と言われても、全く信じられなかったでしょう。ところがいまは過去にこだわらず、良好な関係を構築している。とてもプラグマティックな素晴らしい態度だと思います。

ロシアとのパートナーシップ

日本には中国以外にも、過去を忘れる、あるいはあたかも過去が存在しなかったように考えて、新たな時代の関係を構築した方がいい国があります。それはロシアです。近現代史において日本とロシアが様々な衝突を繰り返してきたことは私も知っています。日露戦争における日本の勝利は、フランス人にとっても大変驚くべきものでした。と同時に、日露戦争は、日本国民を苦しい経済状況に追い込みました。その後、第二次世界大戦の最終局面において当時のソ連は一方的に対日参戦を果たし、北方領土問題もいまだ解決していません。

しかし、こうした歴史的な問題を超えることができれば、ロシアは日本にとって、アメリカとは別の重要なパートナーになりうると私は見ています。中国との地政学上の関係を視野に入れれば、ロシアと友好関係を築くことは、日本の外交上、最優先事項だといってもいいくらいだと思います。

確かにロシアは現在、ウクライナ問題もあって、アメリカやヨーロッパと難しい関係にあり、日本はこの情勢を無視して事を進めるわけにはいきません。しかし、この状態がいつまでも続くとは限りません。私が『「ドイツ帝国」が世界を破滅させる』で指摘したように、ドイツ中心で動くヨーロッパに嫌気が差したアメリカが、ロシアと融和していくというシナリオも考えられる。アメリカは実際に、それまで鋭く対立していたイランやキューバと電撃的に和解したように、ドラスティックな外交関係の変更を行うことがよくあります。現在の国際関係が未来永劫続くと考える必要はどこにもないのです。

日米同盟への軍事的貢献

そして前に述べましたが、私は日本自身の防衛力の強化が不可欠だと考えています。日本は、中国に対して、科学技術上、経済上、そして軍事技術上の優位性を保ち続けていかなければなりません。

日本では現在、アメリカとの集団的安全保障の法制化を巡って、反対デモが起こったり、議論が活発に行なわれているようです。しかし私は、この問題も、感情的ではなく冷静に考えなければならないと思います。アメリカが世界の警察であった時代はすでに終焉しました。それは、世界でのさまざまな紛争に対する姿勢を見れば明らかです。そういった情勢の中で、日本がアメリカとうまくやっていくためには、軍事的にもより協力的になることで、今まで以上に連携を強固なものにしていく必要があります。アメリカと軍事同盟を結んでいるのであれば、アメリカが日本に軍事的に貢献しているように、日本もアメリカに軍事的に貢献しなければならないということです。

日米の安全保障強化を否定的に見る人たちは、軍事的にも産業的にも日本だけがアジアでは唯一の大国で、非常に攻撃的だった一九三〇年代に、すぐに思いを馳せてしまいます。しかし、少子高齢化が進み、人口も減少傾向にある成熟国家となった日本が、他国に対して攻撃的になるはずがありません。現在の日本がいくら軍事力を強化しても、それは守備的なものを越えることはないのです。

私が日ごろから非常に不思議だと感じているのは、日本の侵略を受けた国々だけではなく、日本人自身が自分の国を危険な国家であると、必要以上に強く認識している点です。長い日本の歴史の中で、日本が侵略的で危険な国であったのは、ほんの短い期間にすぎません。しかも日本が帝国主義的で軍国主義的だった二〇世紀の前半は、ヨーロッパの大国も同じことをやっていました。当時の欧州は今とは比べ物にならないくらい帝国主義的、膨張主義的だったのです。当時の情勢を俯瞰してみれば、日本はそういった世界の趨勢に追随したようにしか見えません。ですから、当時の日本の攻撃的な性格はもともとあったもので、日本という国家の決定的な本質であるかのような議論は、まったく非現実的だと思うのです。

いまの日本は平和的な国家であり、一定の軍事力をもって、世界の安定化に積極的に貢献することができる資質を持っています。日本がフランスなどのようないわゆる「普通の国」になっても、何がおかしいというのでしょうか。

そして日本は、中国に対して何らかの助け舟を出す用意をしておく必要があると思います。中国の指導者は口にこそ出しませんが、苦境に立たされているのは明らかです。彼らは単純に経済的な協力を必要としているはずです。そしてこのように困惑し始めた中国の姿を見て、日本は喜んではいけません。こういった時にこそ、中国を支援するべきなのです。中国は斜陽に差し掛かっていますが、巨大な国です。中国経済がダウンすれば、世界中が大きなダメージを受けてしまいます。それは何としても避けなければなりません。

日本は孤立への誘惑を克服せよ

最後に、人類学的な観点から、日本が取るべき道を考えてみましょう。

中国やロシア、フランスなどの家族制度には平等主義的な傾向があります。平等主義に加え個人主義的なメンタリティーを持っているのがイギリス〔アングロサクソン〕です。これらの国々は、国際関係を平等なものとして想定し、その前提の上で相手の国と接する傾向があります。

日本の場合は、ドイツと同様に、長子相続の直系家族という家族システムです。そういった国の国民は、家族構造そのものがヒエラルキーになっているがゆえに、国際関係を対等だと考えることも苦手です。したがって、強い国は弱い国を支配し、弱い国は強い国の支配に甘んじるものだと感じてしまうのです。あるいは弱者に転落した国家が従来のヒエラルキーから脱して、あまりかかわらないようにすることも自然だと考えてしまいがちです。

かつて日本は強い国で、アジアの各地に進出しましたが、より強いアメリカに敗れて、ヒエラルキーの頂点に立つのを諦めました。そして戦後はずっと弱い国という立場を受け入れてきました。中国が大きくなったいま、もはや日本がアジアの中で突出し、支配することなど、言うまでもなく到底不可能です。そんな日本が一番乗ってはいけないのが、できるだけ国際情勢と距離を置いて自分だけの世界に閉じこもってしまおうという孤立志向の誘惑なのです。

そういう事態は現実的ではないと感じられるかもしれませんが、日本の伝統的な家族構造のメンタリティーには、こうした誘惑が潜んでいます。日本のような長子相続の国では、長男以外は家族ヒエラルキーの外に出てしまい、一人で生きようとする傾向があるのです。日本はこの伝統的な文化の殻を打ち破り、今後も国際社会の中で積極的に世界の安定化に関与していくべきだと思います。

今回、中国にどう向かい合うべきかということについて、様々な提案をしました。私の提案の実現が非常に困難であることは自覚しています。国際情勢にはパッションが絡むのが常で、国際政治がたいへん複雑なものだということも充分に理解しています。その上で言っておきたいのは、中国を過度に恐れたりヒステリーやパニックに陥ったりすることなく、合理的で理性的でプラグマティックな態度で臨んでほしいということです。これからの日本に最も求められるのは、そういう意味で、自分をうまくコントロールする力ではないでしょうか。

6

パリ同時多発テロについて——世界の敵はイスラム恐怖症だ

原　題　世界の敵はイスラム恐怖症だ
初　出　『文藝春秋』二〇一六年三月号

「私はシャルリ」デモの自己欺瞞

二〇一五年、フランスでは社会を揺るがす二回のテロがありました。一月七日の『シャルリ・エブド』襲撃事件と一一月一三日のパリ同時多発テロです。

現在、フランスは〝夜の闇〟に沈没しつつあります。それをもたらしているのは、多くの犠牲者を出したテロそのものではありません。非常に力を持っている中産階級〔社会全体の上位半分〕が、移民や若者といった下位の階級の人々に対して利己的な態度を取ることによって、社会がそういった人々を吸収・統合する能力を失っている現象に他なりません。〝自由・平等・友愛〟というフランス革命以来の標語にもとづく共和国のあり方は消えつつあるのです。フランスをはじめとするヨーロッパの中産階級には、ヒステリックなイスラム恐怖症が蔓延しています。しかし、そこで悪魔のように語られるイスラム教徒は、実像を反映したものではなく、人々がきわめて観念的に作り上げたフィクションです。

失業率が一〇％を超えているフランスは、経済的な苦境に立たされています。そして、すべての先進国に共通する特徴の一つは、若者たちが社会的にも経済的にも押し潰されようとしていること。なかでも厳しい状況におかれているのが、イスラム圏を出身地とする若者たちです。イスラム恐怖症は、経済的に抑圧された若者を社会から疎外させ、事態をより深刻にしています。フランスの社会的メカニズムの一部となりつつある不平等さ、不寛容さが、フランスの若者をテロリズムに導くことにつながっているのです。

シャルリ・エブド事件の直後、パリ市内そしてフランス各地の街角で「私はシャルリ〔Je suis Charlie〕」とメッセージを掲げる数百万人の市民が繰り広げたデモ行進は、まさにそうした無自覚な差別主義の発露でした。差別されている弱者グループの宗教の中心人物であるムハンマドを冒瀆することは、宗教的、民族的、人種的憎悪の教唆と見做さなければなりません。大いに美化された、「表現の自由」を訴える〝シャルリ〟たちの主張からは、観念的なイスラム恐怖症が見え隠れし、平等や友愛の精神は置き去りにされていたのです。

ヒステリックな反応の嵐が吹き荒れる中、シャルリ現象へのわずかな疑いすら述べることが許されない風潮がありました。いつの間にか「私はシャルリ」という決まり文句は「私はフランス人」と同義になり、ムハンマドへの冒瀆はフランス人の「権利」ではなく「義務」となっていたのです。ムハンマドの風刺をフランス社会の真の優先事項とみなさなかった私は、二〇一五年一月の事件の後、演出された挙国一致の世情に嫌気がさして、数カ月間にわたってフランス国内メディアからのインタビュー依頼をすべて拒否しました。もっとも、「私はシャルリ」と声高に叫ぶ人々は、自分たちこそがフランス革命の理念の体現者であると信じて疑わなかったわけですが。

イスラム教をスケープゴートに

こういった一連の事象の背景にあるものとして、現代フランスにおける宗教的危機の状況を強調しないわけにはいきません。つまり、集団的信仰としての宗教が消えてしまったということ。かつてフランスにおいて中心的だったカトリックは、すっかり社会の本流から は消滅してしまいました。結果として、個人はますます超個人主義的になって孤立しています。こうした精神的な空白から、拠り所を失ったフランスの支配階級は、自己陶酔的な肯定の場を「反イスラム」に求めているのです。

都市郊外の若者や一般の労働者は、二〇一五年一月一一日にフランス各地で行われた巨大デモにはほとんど参加しませんでした。逆にシャルリ運動に高いパーセンテージで参加していたのは、最近までカトリックだったが今はそうでない諸地域の人々だったことが、各種の調査から明らかになっています。

宗教的危機と経済問題で顕著になっている社会の統合能力の低下を前にして、指導者だけではなく、中産階級全体が、本来取り組むべき問題を解決しようという気持ちを失っています。むしろ、危機の本質から逃れるために、フランス全体がイスラムに対して戦争状態にあるかのように信じようとしています。イスラム教をスケープゴートに仕立て上げることで統治をしようと政府が（無意識かもしれませんが）動いており、国民もある程度は追随している状態なのです。

一年前のテロの際には、宗教的危機に便乗するかたちで、政府が心理的ショックを利用して一致団結を演出しました。オランド大統領は大規模なデモの実施を決め、全国的な動員へとつながりました。そして休刊を余儀なくされた『シャルリ・エブド』は、政府の助成金によって特別号を発刊しました。再びムハンマドを冒瀆する表紙とともに――。

〝自由の国〟フランスは、暗い歴史を背負っています。例えば、第二次世界大戦中にナチス・ドイツに協力したヴィシー政権は、それまでの共和国的な価値観を放棄して全体主義的な政体を築きました。このままの歩みを続ければ、フランスは近い将来に再び同じような変容を迎えることになりかねません。

これは誤解してほしくない点ですが、私は決して心楽しく、祖国が〝夜の闇〟にのめり込んでいると指摘しているわけではありません。こう発言せざるを得ないことは、自分にとって気持ちの上でとてもつらいことです。自分の知っているフランス、そして自分の愛する世界が失われてしまうわけですから。

テロ対策として無意味な国籍剝奪議論

こうした社会崩壊のプロセスを分析し、また危惧の念を表明したのが、二〇一五年五月に発表した『シャルリとは誰か?』〈文春新書〉です。私の言説は多くのフランス人にショックを与えたようで、ヒステリックな反発も受けました。マニュエル・ヴァルス首相は、その本の発売当日に「いや、一月一一日のフランスは欺瞞ではない」と題する長い論評を『ル・モンド』紙〈五月七日付〉の一面に寄稿して、私を公然と批判しました。政治指導者の本来の役割は、失業率が高止まりしている目の前の経済状況を好転させることにあるはずなのですが……。

残念ながら、『シャルリとは誰か?』で示した不安はもはや杞憂とは言えなくなりました。現在、オランド政権は、二重国籍のフランス人がテロリストとして有罪となった場合、フランス国籍を剝奪するという条項を憲法に書き込もうとしています〈この憲法改正案は後に取り下げられた)。国民の間に二つのカテゴリーを作って、両者に法律的な差を設けようというのです。これは、ヴィシー政権が国内のユダヤ人からフランス国籍を剝奪した過去を彷彿とさせます。もし現代のフランスでもそんなことが起きれば、それはあらゆる市民が平等であるという普遍主義的共和国の終焉に他なりません。

フランスで大きな議論を巻き起こしているこの問題からは、私は一種の狂気のようなものを感じます。というのも、実際的なテロ防止には何の効果も発揮しないことが明白だからです。命懸けでテロを企てている若者が、国籍を剝奪されるからといって犯行を思いとどまるでしょうか。ところが、政府はあたかも憲法改定を反テロの象徴であるかのごとく振りかざしている。中世の魔法使いが、雨を降らせるために行っていた儀式とほとんど変わりありません。

現在、フランスには約三〇〇万人の二重国籍者がいます。多くはモロッコやアルジェリアといったマグレブ諸国出身で、さほど熱心でない人も含めて大半はイスラム教徒が占めています。こうした人々を危険なカテゴリーに押し込め、テロリストになる候補者として扱うことは、国民の分断を招くだけでまったく馬鹿げた行為であると言えます。あるいは、支配階級や為政者たちは、無自覚のうちにフランス社会の倒錯的な欲求を示しているのかもしれません。要するに、イスラムなる〝敵〟と対決したいという欲求です。それが顕在化したのが「私はシャルリ」デモだったのです。しかし、それは当然ながら国民の約一割を占めるイスラム系の市民と対立し、彼らを排除することにつながります。さらには眠っていた反ユダヤ主義も呼び起こします。この分断を私は〝夜の闇〟と呼んでいるのです。

「反イスラム」としての「ライシテ」

近年、排外主義を掲げる政党・国民戦線〈FN〉の躍進がフランス内外で話題になっています。確かに国民戦線は外国人嫌いの傾向が強い政党であることは間違いありません。しかし、フランスの主要政党を見渡すと、どの政党もいまや「ライシテ〈世俗性〉」を強調しています。もともとは政教分離と国家の宗教的中立性を意味していたライシテは、いまではイスラム恐怖症のコードネームのようになっています。

国民戦線の主張が「主観的外国人恐怖症」であるとすれば、社会党や保守派の共和党は「客観的外国人恐怖症」であるとも言えます。イスラム系の若者は、左派の社会党に投票することが多いわけですが、社会党が実は移民に好意的ではないことを敏感に感じ取っています。たとえば、フランス北部のリールという街で出会った若者は、社会党が客観的外国人恐怖症であるという私の指摘に対して、「実際そうだと思う」と語ってくれました。社会党の党内組織には、マグレブ系の若者がほとんど受け入れられていないと言うのです。実際に党幹部のメンバー構成を見ても、信仰を失ったカトリック文化出身者の勢力が非常に強いことがわかります。つまり、フランスにおける差別主義はもはや〝極右〟である国民戦線に限定された病根とは言えないのです。多くの若者たちにとって、現状が耐え難いことは想像に難くありません。

もしもフランス共産党が生き延びていれば、社会の統合という点では役に立つ政党であっただろうと思います。フランスではよく冗談で次のように言うのです。共産主義は一つの普遍主義である、なにしろ国民を皆等しく強制収容所に入れようという思想なのだから！

ISは西洋の産物

第二のテロ、すなわち一一月一三日のパリ同時多発テロは、まさに私が危惧したかたちで発生しました。都市郊外で育ったフランスとベルギー国籍の若者たちによって引き起こされたテロは、一三〇名もの犠牲者を出しました。ジャーナリストや警察官、ユダヤ教徒といった特定の人々をイデオロギー的な理由で狙ったシャルリ・エブド事件とは違って、無差別に行われた犯行は、殺すために殺すという、純粋なニヒリズムを感じさせる行為でした。したがって、テロの後には、反イスラムやライシテといったイデオロギーの問題に転化するような現象が起こらなかったのです。むしろ多くの人々はショックを受け、茫然自失となっていました。

テロの現場となったパリ一一区は、パリ市内でも最も自由で活発な雰囲気があり、若い世代が集う国際的な街でした。私自身も多くの思い出がある場所です。

第二のテロを受けての反応は、「私はシャルリ」の行進ではなく、政府による〝戦争〟の布告でした。フランスの空母シャルル・ドゴールから飛び立った戦闘爆撃機が、「イスラム国〔IS〕」が拠点としているシリア、イラクを攻撃したのです。

確かにISはフランスを含めた西洋文明を敵視しています。過激派によるテロがパリ市内で起きた。また次なるテロが起きるかもしれない状況において、私たちはどうしても反知性主義的な反応を示すようになる。それが戦争にのめり込んでいく原因となるのです。

ここで私たちは少し理性的に状況を整理しなければならないでしょう。そもそもISは悪魔のように言われていますが、歴史家、社会学者の観点から見れば、広範な意味において西洋が生み出したものなのです。特に米国は、近年の歴史において、中東を破壊する戦争に荷担してきた。もちろんアメリカだけではありませんが、そこに欧米の責任があることを忘れてはなりません。しかも、ISの中のジハード戦士たちは、西洋から現地入りした若者が大きな部分を占めています。アルジェリア人からこんな話を聞いたことがあります。くだけた表現ですが、「なんでヨーロッパ諸国は、あなた方の〝クソみたいなもの〟をこっちへ送ってくるのか」と。ジハード戦士をイスラム社会から出てきたものとは見做していないわけです。

シリアを中心とする中東の混乱をめぐる問題で、当事者となりうる国は、イラン、トルコ、サウジアラビアです。それに加えて、決定的な軍事力を持っている国がアメリカとロシア。私が思うに、紛争はこの五カ国間で解決させるべきです。その上で、いまのフランスには、そのオペレーションの場において結果をともなう行動を取るだけの能力はない。したがって、フランスが軍事的にやっていることは無意味なのです。むしろフランスが行うべきなのは、イスラム恐怖症、あるいは反ユダヤ主義に蝕まれている状況にある国内を再建することです。

いまの状況でフランスが国外へ介入すると、力を尽くさなければならない国内の状況をむしろ悪化させてしまう結果になってしまいます。

実は、私がこうした意見を表明するのは初めてのことです。おそらくフランスでは一種の裏切り者、敗北主義者とみなされてしまうでしょう。確かに歴史を振り返ると、フランスには普遍的な価値を掲げて、大きな役割を果たした時代がありました。イスラエルやシリアの情勢についても、フランスが介入して意味のある時期もあった。しかしながら、現在のフランスには国際的な道義や規範に関して発言する資格はありません。友人たちは「その通りだ」と言ってくれると思いますが、私は愛国者です。しかし、自国に十分な能力がないときには、それを率直に認め、能力がないことを直言することこそ、愛国者の務めだと信じています。

いまのところ、発表されている世論調査などを見る限り、フランス国内でＩＳへの爆撃はおおむね肯定されているように見受けられます。しかし、一部では風向きが変わりつつある。あるフランスのトーク番組にヴァルス首相が出向いたとき、社会批評を行うユーモリスト〔漫談師〕が「それは〝あなたの戦争〟であって、〝私の戦争〟ではない」と言ってのけたのです。こうした意識は拡がっていく可能性があるでしょう。

「国のために戦争で死ぬ覚悟があるか」という国際世論調査に対しても、フランスでは決して好戦的な結果は出てこなかった。このことからも、フランスにおける反イスラムの動きがきわめて観念的であることが窺《うかが》えます。ちなみに、余談になりますが、他国と比べて日本人で突出して多かったのが「わからない」という回答でした。これは以前から気になっていた傾向ですが、日本では自分の意見を留保しておくという態度が非常に多いことは大変興味深いです。

日本もまたＩＳから名指しで標的にされている先進国の一員です。私は日本外交の専門家ではありませんが、日本が中東の原油に依存していることは理解しています。したがって、中東が戦略的に重要な地域であることは間違いない。しかし、日本もフランスと同様に、あの地域に平和や安定を築けるだけの軍事力を保持しているとは思えません。

いま、中東で進行している事態は、イスラム教スンニ派の盟主であるサウジアラビアの崩壊です。今後、スンニ派地域は国家崩壊のゾーンになるでしょう。もし私が日本人ならば、これから安定の極になるであろうシーア派国家・イランと良好な関係を築きます。

真面目すぎるドイツ人のリスク

二〇一五年、テロとともにヨーロッパを大きく揺るがしたのは、大量に流入してきたシリア難民の問題です。イスラム恐怖症が蔓延するフランスを尻目に、ドイツは大々的に難民への門戸を開きました。このニュースに接したとき、私は、とても立派ではあるが冒険的で危険な選択だと感じました。もちろん、私は基本的には移民の受け入れに賛成の立場です。しかしながら、移民の受け入れは、人々の文化的な差異に注意しながら慎重に進めるべき事柄であることも事実なのです。

経済的な基盤が他のヨーロッパ諸国よりも強固なドイツは、外から来る者を経済的に受け入れる能力は高い。底辺の労働力を求めているからです。ところが、すでにドイツに多数存在する移民を見ると、残念ながら必ずしも統合に成功しているとは言えません。旧ユーゴスラビア、ロシア、ギリシャからの移民はある程度うまくいっていますが、イスラム系のトルコ移民はあまり社会に溶け込めていないのです。

私は集団の社会文化に大きな影響を与える家族形態を長年研究していますが、イスラム社会とヨーロッパでは内婚〔部族内のいとこ同士の結婚など〕率に大きな差異があります。「イトコ婚」がドイツでは皆無であるのに対して、トルコの場合は約一〇％となっています。それでもドイツとは文化的背景に大きな違いがあるわけですが、シリアの内婚率は約三五％とさらに高くなっています。したがって、アンゲラ・メルケル首相の難民受け入れ政策は、倫理的には立派で、経済的には合理的。しかしながら、人類学者の観点から付言すれば、非現実的で非合理的なのです。

フランスとドイツには、それぞれに違う問題がありますが、フランスにとって望みの綱は、フランス人がいわゆる「きまじめ精神」の持ち主ではないことです。その点、ドイツ人は徹底して真面目なので、そこにリスクが伴います。移民や難民が関わった、二〇一五年大晦日のケルン駅前広場で起こった集団暴行のような事件に対して、ドイツ人がどのようなリアクションを取るのか見極めが難しい。ドイツ文化を考えると、何らかの「徹底したリアクション」が起こることも考えられます。ドイツでは、難民への敵対行為が事件に発展する可能性が他のどの国よりも高く、歴史における新たな危険の始まりであると言えます。

ヨーロッパから外に目を向けると、アメリカの大統領選では、反イスラムの主張を掲げるドナルド・トランプという候補に注目が集まっています。私はトランプ現象を詳しく追っていませんが、アメリカにはイスラム系の移民は比率的に多くありません。

いま世界で一番危なっかしいのは、やはりアメリカではなくヨーロッパなのです。これまでの近代的なデモクラシーを中心とした社会の構造が瓦解していく可能性が高く、すでにそのプロセスに入っています。フランスは変化を拒否している状態にあり、経済強国になったドイツはさらにその版図を拡大しようと冒険的な姿勢に入ってきている。イギリスも、スコットランドの独立運動をはじめ、大変な問題を抱え込んでしまっています。東欧諸国が難民の受け入れを拒否しているという状況もある。これからの二〇年は、統合の歴史を歩んできたヨーロッパが瓦解する可能性が高い期間になるでしょう。

日本の場合は、国内にイスラム教徒が少ないこともあって、欧州のようなイスラム恐怖症は存在しません。ただ、在日韓国人〔フランスでは「韓国系日本人」と呼んでいます〕との関係、それから国内での外国人問題は日本にとって永遠の課題でしょう。一般的に日本は外国に対して寛容です。一方、社会に外国人を統合していく、一緒に生きていくという点では、客観的に成功していると言いがたい。

しかし、歴史人口学者としての見解を述べさせてもらうと、出生率の低下と人口減少は、日本における最大にして唯一の課題です。そして少子高齢化が解決できない中で、一定数の移民が必要になるはずです。

欧米の知識人はよく「日本は非常に排外的で差別主義的だ」と言います。しかし、私は少し裏側から物事を見なければいけないのではないかと思っています。日本人は、決して異質な人間を憎んでいるわけではなく、仲間同士で暮らしている状態が非常に幸せなので、その現状を守ろうとしているだけではないのでしょうか。日本の社会はお互いのことを慮《おもんばか》る、迷惑をかけないようにする、そういう意味では完成されたパーフェクトな世界だからです。

フランスの場合は、そもそも国内が無秩序で、フランス人同士でも互いにいざこざは絶えません。つまり、外国から異質な人が入ってきたところで、そもそも失う「パーフェクトな状態」がないタフな社会です。同じことはアメリカにも言えるでしょう。

子供という存在は、そもそも無秩序なものです。そして、外国人、移民も、社会にある種の無秩序をもたらします。日本人は日本が存続し続けるために、こうした一定の無秩序、混乱、完璧ではないことを受け入れる必要がある。私たち日本好きの人間にとっては、日本が人口減少で没落していくのは残念なことです。より徹底した少子化対策の実行と移民受け入れは、明治維新にも匹敵する国家的改革になりますが、国として存続できる道を真剣に探ってほしいと考えています。

各国で君臨している〝シャルリ〟

私は『シャルリとは誰か？』の中で主としてフランスの現象を取り上げましたが、課題は日本も含めた先進国世界に共通だと考えています。急速なグローバリゼーションを受けて、貿易はどんどん開かれた状態になり、各国間の経済波及効果はいまだかつてないレベルにまで高まっています。それは基本的には良いことだと思いますが、あまりに性急だった感は否めません。所得格差は拡大し、高等教育の発展によって市民集団の同質性は溶解しました。

グローバリゼーションから利益を引き出しているエリート層はどの社会にも存在します。高学歴者と高齢者から成る支配的な中産階級です。彼らこそ、各国で君臨している〝ジャルリ〟に他なりません。ときに彼らは、社会の周縁に追いやられている労働者や移民二世を犠牲にして自分たちの特権を守ることも厭《いと》いません。責任感のない世界のエリートたちは、国境の開放をヒステリックに実行している。そして、宗教的危機によって精神的空白が生まれ、従来の宗教に代わる価値としてお金や株価を追いかける空虚な文化がはびこるのです。

社会と国際関係の安定を望む民衆は、過剰なまでのグローバリズムの進展に小休止を呼びかける権利を持っているのではないでしょうか。先に述べたとおり、経済的格差の拡大こそ、スケープゴートを求めてイスラム恐怖症という妄想のカテゴリーを生み出す背景です。イスラム恐怖症をこれ以上蔓延させないためには、そういった民衆の希望を考慮する必要があるはずです。

したがって、グローバリゼーションに対する一定のレギュレーション〔規制〕が求められます。自由貿易問題にしても、移民の受け入れにしても、国境を閉じて鎖国するのは好ましくないですが、過剰な流動性はコントロールした方がよい。つまり、リーズナブルで実際的な政策を選ぶべきなのです。

私は、世間からはイスラム教の擁護者と見做されているようです。確かに私の娘の一人はアルジェリア系フランス人と結婚していますし、私はイスラム恐怖症に与《くみ》する一人ではないでしょう。元をたどれば私の祖父の一人はブルターニュ系ですし、自分の家系の中心は東欧にあるユダヤ系。さらに私の祖母はイギリスからフランスに渡ってきたわけですから、これまた外国系のルーツです。息子の一人は英国籍を取ってイギリスで暮らしています。そして私はといえば、イスラム擁護論者である前に、自分の属する社会の現状に苛立つ、普遍主義的な考え方のフランス人です。宗教的危機によって、バラバラで絶対的なウルトラ個人主義者たちがあらゆる先進国を徘徊するなか、考えるべき喫緊の課題はイスラムではなく、瓦解に直面した社会の立て直し方なのです。

7

宗教的危機とヨーロッパの近代史——自己解説『シャルリとは誰か？』

原題　宗教的危機とは何か
初出　『三田評論』二〇一六年四月号
講演　エマニュエル・トッド氏来日記念講演会
主催　慶應義塾大学堀茂樹研究室
政策・メディア研究科「現代社会文化論プロジェクト」
二〇一六年一月二八日
於・慶應義塾大学三田キャンパス北館ホール

宗教的危機からイデオロギー的危機へ

「宗教的危機」は私の最新の本『シャルリとは誰か?』〔文春新書〕の中心的概念です。なぜなら、実際に今日、私の国フランスの社会では宗教が強迫観念のようになっているからです。ほとんどの人が無宗教となり、あらゆる宗教的権威から解放された現代人のつもりでいるにもかかわらず、宗教が繰り返し話題に上るのです。

ただ、この場合、非常に特殊な形で話題に上ると言わねばなりません。つまり、特定的にイスラム教が嫌悪や拒否感の対象なのです。「あれは狂信的で、無知蒙昧主義で、女性の地位を極端に低くする妄信だ」というわけです。そしてもちろん、テロリズムに結びつくイメージが流布されています。

さて、私自身、危機的状況の中にあるフランスの一市民です。しかし、私は同時に歴史研究を職業とし、数十年来、宗教史を考察してきました。ヨーロッパにおける宗教的感情と宗教的実践の消失過程に注目してきたのです。ヨーロッパにおけるキリスト教の危機は、歴史的なパースペクティブの中で比較的すっきりと識別することができます。歴史的に三つの段階があったのです。

キリスト教崩壊の第一段階は一八世紀の半ばで、カトリシズムの約半分が崩壊しました。中心はフランスのパリ盆地でした。パリ盆地というのは実は非常に広い地域を指し、パリを中心としたフランスの中央部です。その他にスペイン南部、イタリア南部などで、カトリシズムの集団的な信仰が消えました。この歴史的地殻変動は、ヴォルテールら啓蒙思想家の教会批判が成した業ではありません。ヴォルテールらの言説のほうがその反映だったのです。しかし、ヨーロッパの他の地域では、依然としてカトリシズムが生きていました。プロテスタンティズムも相変わらず健在でした。

第二段階は、一八七〇年から一九三〇年の間です。プロテスタンティズム地域の全体、つまりイギリス、ドイツ、スカンジナビア半島全域といったところで集団的現象としての信仰が同時に崩壊したのです。ニーチェの「神は死んだ」が思い出されますね。ですから第二次世界大戦後、ヨーロッパで宗教が強い影響力を維持していたのは、ベルギーの大半、オランダ南部、ドイツのラインラント、バイエルン州、オーストリア、そしてフランスの周縁部諸地方、スペインの北部、そしてもちろんアイルランドなど、カトリシズムの残っていた地方でした。

キリスト教消失の第三段階には後で言及しますが、私は物事をもっぱら経験主義的に観察します。

ア・プリオリなイデオロギーや道徳観念に導かれることなしに素直に物事を見て、場合によってはそこに法則を見出すのが私のやり方です。さて、キリスト教崩壊の第一段階と第二段階から抽出できる法則は、宗教が衰退して、消滅と言ってもいいような状態になると、そこでイデオロギーの危機が始まるということです。新しいイデオロギーが勃興してくるのです。フランス語の「クリーズ〔危機〕」、英語の「クライシス」という語の本来の意味は「転機」ですが、その意味で、新しいイデオロギーが急激に力を増すのです。

例えば、先ほど述べたように、一七三〇〜四〇年、パリ地方を中心とする広い地域でカトリシズムが崩壊しましたが、それから半世紀後にフランス革命が起こったことはご存知のとおりです。しかも、フランス革命は、カトリシズム的な価値観——天国へのアクセスという死後の救済において堅持されていた普遍主義——を地上世界に転位し、世俗化した革命と見ることができます。

それから、一九世紀末から二〇世紀初めに北ヨーロッパ全域でプロテスタンティズムが崩壊した後、何が起こったかというと、各国でイデオロギーが硬直し、過激化しました。まさにヨーロッパ列強にナショナリズムの時代が訪れたわけです。典型的な例は言うまでもなくドイツで、ナチスが格段の勢いで擡頭したのはルター主義が崩壊した地方においてでした。このことは、まぎれもなく地図で確認することができます。ナチスが政権を掌握した前年の一九三二年の選挙でヒトラーに大きな支持を与えた地域は、そのほとんどが元来ルター派の地盤だった地域で、そのしばらく前に宗教の権威が薄れてしまったところだったのです。

こうして、好きとか嫌いとか、良いとか悪いとかいったア・プリオリな思い入れから自由な観察者でいるとき、表面的には複雑きわまる歴史的現実の中に非常に単純な一種の法則のようなものが見えてくることがあるのです。

私がこれは実際そうに違いないと見抜いた気がしたのは、「集団的な信仰としての宗教という現象が消失してしばらくすると大きな危機が到来し、極端なイデオロギーが生まれてくる」ということでした。そのイデオロギーは、もはやいわゆる宗教ではなく、世俗的なもの、しばしば国粋主義的なものですが、巨大な集団を動かす力を持っています。しかも、この現象はかなり自動的に、その時々の経済的状況と無関係に起こるのです。今日人々は大きな世界的危機をしばしば経済だけで説明しようとする傾向がありますが、私の見方はそれとは違うわけです。

フランスにおける戦後の脱宗教化とその政治的影響

フランス史、ヨーロッパ史を現代により近いところまで下ってくると、第二次世界大戦の終戦からしばらくして、第三の、あるいは最終段階の宗教的危機、キリスト教の危機が訪れたと確認できます。一九六〇年代から一九九〇年頃、あるいは二〇〇〇年頃にかけて、ヨーロッパ全域でカトリシズムの残っていた地域、フランスにおいてはブルターニュ半島、中央山岳地帯、アルプス地方などの周縁部各地がそれに相当しますが、そうした地域でカトリシズムの実践が、つまり教会に行ってミサに与ったり、あるいは司祭になるという実践が崩壊してしまったのです。

まったく同じことがベルギーでも、オランダ南部でも、ドイツのバイエルン州でも、スペイン北部でも起こりました。若干遅れてアイルランド、さらにポーランドでもカトリシズムの熱が失せました。ポーランドでは共産主義に対抗するためのバックボーンとしてキリスト教が強かったのですが、共産主義の消滅にともなって、それも消えていったのです。

フランスでは集団の組織的な実践という意味での宗教はいまや完全になくなり、今世紀の初めからは宗教の影響のすっかり薄れた社会になっていると言えます。これは、歴史上初めての事態です。

私が生まれ育った第二次大戦後のフランスは、宗教的な側面から見た場合、基本的に安定した時期であったと思います。戦後しばらくは、フランスの周縁部では相変わらずカトリシズムが強く、それに対してパリ盆地などの中央部には、ライシテ〔世俗性・非宗教性〕を原則とする地域が拡がっていました。この二つの地域は、対立的であると同時に補完的な関係にあったと言えます。

中央部の多くの人々は、多くの場合、宗教を信じていず、形而上学的な展望を持っていませんでした。しかし、それでいて、フランス周縁部で強い影響力を保持するカトリック教会の無知蒙昧主義から自分たちは自由なのだという満足感を持っていた。フランス式にあからさまな表現をすれば、教会に服従しているあのバカな連中とは自分は違うんだと、そう感じることができたのです。

事実、戦後、非常に勢力が強かったフランス共産党の勢力分布図は、フランスにおけるカトリシズムが根づいていた地域の分布図を逆転させた、正確なネガとも言えるものでした。共産党の強い地域はカトリックが弱く、カトリックの強い地域には共産党は入っていけないという状態でした。その二つのフランスは対立し、激しく戦っていたけれども、全体としては補完的な関係にあり、長い間継続的にバランスが保たれていました。両方合わせて「フランス」だったのです。

さて、カトリシズムが崩壊して以来、フランスの政治的な推移がどうなってきたか。ごく簡単に言うと、まず、戦後期に非常に強かったフランス共産党の崩壊がありました。あたかもカトリックが消えて、対抗する相手を失って困ってしまったかのように共産主義が崩壊していったのです。逆に現在のフランス社会党は、伝統的にカトリシズムの地盤で、それゆえに頑固に保守的だった地域、最近カトリシズムの信仰を集団的に失った地域に根を張り、そこを強い地盤として勢力を伸ばし、共産党に取って代わってフランス左翼の主要政党になったのです。

現代フランスの宗教的危機とは？

こうした与件を踏まえて、私は二〇一五年に『シャルリ・エブド』に対するテロ事件が起こるよりずっと以前から、フランス社会の推移を検討し、考察してきました。当時から、私の見方は多くの論者やジャーナリストのそれと非常に異なっていました。眉を顰めてイスラム教が問題だと言ったり、イスラム教徒にフランスが征服される、などという幻想を抱いたりする人が少なくないのですが、本当に見るべき現実は、そんな観念的ヴィジョンからはかけ離れています。例えば、現在のフランス国民の中のイスラム教徒の人口は約五％に過ぎません。しかも、その五％の中で熱心にイスラム教を実践している人は決してマジョリティではないのです。人口学的にそのように小さく、しかも社会的にも経済的にも弱者であるグループを強迫観念の対象にして、現代の深刻な宗教的危機が彼らに由来するものであるかのように語るのはどうかしています。

私はと言えば、もともとカトリックである圧倒的多数派のフランス人の側で、フランス革命の時代から今日まで何がどう推移してきたのかを研究するほうが、歴史へのアプローチとして的確と考えます。思うに、現代フランスの問題は、多くのフランス人が宗教的なものの喪失や消滅を自分たちの危機として意識していないことにあります。昔からのカトリック教会の保守的な教えから解放されて自由になった、その教えの中にはキリスト教本来の普遍主義的なモラルもあったのだが、そういうものによって与えられる後ろめたさからも解放された、何も問題はない、と意識しているように見えるのです。

この無自覚さの背後で、宗教的なセンスの喪失に結びついた無意識のメカニズムが働きます。今日のフランス社会の心理的混乱は明らかに宗教的空白に起因する倒錯だと思います。具体的現実から遊離し、何かにつけて「イスラムこそが問題だ」と持っていくやり方は、イスラム教を自らの無意識に巣くう宗教的不安を埋めるためのスケープゴートにするものだと言わなければなりません。

このような強迫観念は、私の知っているかつてのフランスには全く存在しませんでした。今日では、突然、会話の間に「自分は『アテー』だ」とアピールするという現象が起きています。「アテー」というのは神を信じない、神の存在はないという信念を持っている無神論者のことです。あたかも一八世紀のフランス革命期の初めの頃、それ以前の宗教的な迷信から脱却した人々が誇らしく「神なんかいない！」と言い張った時代に戻ったかのような印象さえ受けます。

ただ、くれぐれも誤解しないでいただきたい。私はカトリックではありませんし、カトリックの信仰を持ったこともありません。現在も完全に宗教を持っていない人間であり、自分の血筋〔ユダヤ系〕から言ってもカトリシズムとは関係がありません。ですから、古いノスタルジーに駆られたカトリック信者が、いまの状況を嘆いてこうしたことを言っているわけではないのです。私が、いまの状況を非常に危険だと思うのは、人々が自分たち自身の精神的状況に無意識であるように見えるからです。

しかも、いま私は抽象的な政治哲学的理論を展開しているのではありません。全く統計的、実証的な議論なのです。皆さんもご存知のように、『シャルリ・エブド』が狙われた二〇一五年一月のテロ事件の後、すぐにフランス全土で大規模なデモが起こりました。約四〇〇万人がデモ行進をしましたが、そのとき人々が口にしていた言葉は、自由主義的なものであり、表現の自由を語り、共和主義の価値を語っていました。しかしながら、このデモの本当のテーマは、結局のところ、マイノリティの宗教の象徴的人物であるムハンマドに対して、過激な風刺をする権利、ないしは義務というものを共通して確認することだったのです。

フランスのどの地域で、どの程度の割合の人がそのデモに参加したかという統計を見ると、ものの見事に、かつて一九六〇年代の終わり頃まではカトリシズムの信仰が強かった地域で、デモへの参加率が飛びぬけて高かったことがわかります。具体的にはフランス西部や、スイスに近いところ、リヨン市などですが、基本的にフランスの中央部ではないところが、デモへの参加率の高い地域でした。一八世紀にカトリシズムから脱却していた中央部での参加率と比べると約二倍という有意の差でした。戦後、一世代で信仰を失った元カトリシズムの地域で、あのデモが非常に盛んに行われたことがこうして確認できました。

疑いもなく、あのデモの背景には宗教的な決定要因があったのです。

経済的危機と宗教的危機の重なりに要注意

もちろん私は、さまざまな地域や国の危機が、もっぱら宗教的な危機だと言うつもりは全くありません。経済は大きな重要性を持っています。例えば現在、フランスは経済的危機にあります。いまでは先進国の中で唯一だと思いますが、失業率が恒常的に一〇％を少し超えている状態です。政府は事実上、その状態を克服しようとせずに受け入れています。つまり、若い世代を生み出し、教育するけれど、仕事を与えようとしていないという状況なのです。

しかし、ここでは、社会の安定性を突き崩すものは経済問題だけではないということを強調しておきたいと思います。例えば、世界史の中でもいちばん悲劇的なドイツの一九三〇年代、ナチス擡頭直前のドイツは大変な経済危機で失業率も非常に高い状態でした。そのことは歴史の本にはたくさん書かれています。しかしそのナチス擡頭の少し前に、ルター主義的なプロテスタンティズムの沈没という事態があったことを明確に書いている教科書はあまり見ません。世界の危機に関して、こういう側面を見なければいけないと思っています。つまり、経済的な危機と、宗教的な空白の重なるときが、非常に危ないのです。あの時期のドイツは宗教的な危機と経済危機が一緒になって、結局、一種の社会的狂気のような状況に導かれてしまいました。現在のフランスは、もちろん、そこまで行っているわけではありません。ですから、あまりに誇張しすぎてはいけないと思いますが、私がいま申したような意味で宗教的な危機にあり、そして経済的な危機にあるということは事実です。

そして二〇一五年一月にパリでテロがあり、さらに一一月一三日にはより大規模な無差別テロがありました。そういった事態を前にして、政府やジャーナリズムの大半がどのようなことをしているかというと、自分たちの宗教的危機というものを私が説明したような意味で意識するのではなく、ひとつの強迫観念のようにイスラムのことばかりを語っているのです。そして、現実に手を打つことができるはずの経済問題には政府は全く取り組まない。失業率は上がっていくばかりです。

フランスのテレビは、ライシテの原則がどうだ、中東情勢がどうだ、宗教がどうだ、イスラム教がどうだといった話題で、あまりにも独占されている状況です。経済と雇用の問題に取り組まない今日のフランスは、現実から逃げようとしている、現実を直視していないと私は思っています。昨今のフランス社会の中にいると、なんだか非現実的な世界の中にいるような気がしてしまいます。

とはいうものの、フランス的な、いい意味での軽さや生真面目すぎない精神、自らを笑うことのできるような態度といったものは生きているので、希望がないわけではありません。しかし、それにしても危険ではあります。現在のフランスは、言ってみれば監視しなければいけない状態で、フランスを進歩的な一つのモデルにすることは考えられない。むしろ、どこか病んでいる状況なのです。看病でしょうか、監視でしょうか、それをしなければいけない社会状態にあるのが今日のフランスです。

フランスの二元性

フランスは、「一にして不可分の共和国」と言われ、そのイメージは広く流布しています。極端に言えば、フランス国内の子供たちは皆、ある時刻には、地方のどこに行っても同じ教科を同じように勉強していると、そんなふうに語られてきました。しかしそれは一つの神話であって、実際にはフランスはすこぶる多様です。そして二元性を軸にしている国なのです。

例えば、フランスの家族構造の伝統から見ますと、フランスの中央部、パリ盆地から地中海沿岸といった辺りは平等主義核家族であるのに対して、周縁部のさまざまな地方は、多くの場合、直系家族的な家族形態を伝統としていました。周縁部の家族システムは、かなり日本的な家族システムであると言えます。中央部が平等主義核家族に由来する自由や平等の価値を重視するのに対して、周縁部では権威や不平等のほうが尊重されるのです。そして、両者が一体になってフランス・システムを作り出している。冗談が許されるならば、南米が真ん中にあって、その周りを日本が囲んでいるようなイメージだと言うこともできるような構造になっています。

一方には規律正しく秩序立ったものがあり、他方には、非常に融通無碍でアナーキーな精神がある。率直に言って私はフランスを愛していますが、その理由はここにあります。昔、ある真冬の寒い時期に全国的なストライキがありました。テレビのルポでドイツのテレビクルーは、フランスの状態を見て「なんという無秩序だ。フランスはひどい」と言っていた。一方、ローマから来たクルーは「なんと規律正しいんだ、フランスは」と言っていました（笑）。

問題は近年、フランスの周縁部のパワーが強くなったことです。もともとカトリックだった地域です。中央部よりも教育成果が上がり、失業率も中央部よりも低いことが多い。なぜかと言うと、社会のヒエラルキーを自発的に受け入れやすい体質ゆえに、労働の規律も受け入れやすいからです。そして、グローバリゼーションに対する適応という観点から見ても、周縁部フランスのほうが中央部フランスよりも、結果において成功している。なぜなら、グローバリゼーションに適応するのは、ある種の不平等を甘受することだからです。したがって、この二つ目のフランスが現在は支配的で、ここに問題があるのです。

"もう一つのフランス"の強大化

周縁部フランスによる権力の奪取は、フランスの現状を理解するのに非常に重要です。これを理解すれば、現在、なぜフランスの政治的リーダーたちがドイツに追随するのかが分かると思います。特に緊縮経済の採用はドイツ追随です。これは周縁部が強くなったという理由から説明できるのではないでしょうか。こうしたフランスのドイツ追随型政治が、あたかも理性的で分別のある国家運営であるかのように語られることが多いのですが、しかし、少し歴史を振り返れば、まさに周縁部を地盤とするこの二つ目のフランスが第二次世界大戦時にナチス・ドイツに協力し、傀儡政権〔ヴィシー政権〕を作ったフランスなのです。

『シャルリとは誰か？』は、もちろんフランス国民に向けて書いた本です。それから、自分の良心の名において書いた本です。しかしいま、外国でこの本が盛んに翻訳されて、外国のジャーナリストとも会う機会が多くあります。最初はこの本が外国で興味を持たれるということは予想していませんでしたが、その理由が分かりました。

例えばドイツ人は歴史のせいか、基本的にフランスのやることは普遍主義的で、開明的で、民主主義的だと見る傾向があります。そのドイツ人に対して、『シャルリとは誰か？』は、「いや、いまのフランスは、そのような普遍的な人間の価値に忠実なフランスではないよ」と知らせることができるわけです。

また、イタリアやスペインやギリシャのジャーナリストが、ドイツがリーダーとして牛耳っているEUの中で、なぜフランスが自分たちの側に付いてくれないのかとよく訊いてきますが、それは、いまのフランスはあなた方が思っているフランスではなく、〝もう一つのフランス〟のほうが現在では優位に立っているからだと説明できます。こういうことを言う私は、祖国に対する背信者でしょうか。それとも、私こそがフランスなのでしょうか〔若干のユーモアを含みつつ、ドゴール将軍のスタイルを模した表現〕。

『シャルリとは誰か？』に先立って日本で出した『「ドイツ帝国」が世界を破滅させる』〔文春新書〕は、ドイツ批判と受け取られがちですが、私はドイツ人個人とはよく付き合うし、国際的な研究会などでも、ドイツ人と話が合うことが多いのです。ですから、いわゆるドイツ嫌いなどではありません。

ただ、私がフランス国内でドイツ嫌いだという評判を立てられるのは、実はフランス的なものの考え方の、ある意味では共感できる側面のパラドクサルな表われです。つまり、フランスのものの考え方は本当に普遍主義的で、人間の普遍性というものを当然のこととして、まず考えるわけです。ところが、それに対して私は、ドイツ人はやはり違うということを遠慮なく言います。ドイツ人だけではありませんが、世界には多様性があって、異なっているということを強調すると、フランス人はそれをあたかも排除の思想であるかのように受け取る傾向があるのです。私は現実を現実として客観的に見ようと言っているだけなのですが。

私は確かに同化主義的なやり方がフランスには合っていると思い、それを支持しています。しかし、いろいろ問題が起こってきている中で、いきなり粗暴な形で同化しろと要求するタイプの同化主義が正しいと言っているわけではありません。また、フランスの場合に同化主義が適切な方法だと言っているわけであって、日本のような別の社会文化、家族システムのところで、同じようなことをやれと言うつもりは全くありません。フランス式の移民統合を導入して、多様な人々が本格的に混在するパリのような状態を日本に生み出すということはお勧めしません。社会文化的な差異は現実にあるのだから、それを考慮して、適切な移民政策を取るべきだと理性的に考えています。

世界の多様性はなぜ保たれるのか？

現在、アメリカのような移民の国はたくさんあります。それにもかかわらず、どうしてある一つの家族形態にもとづく価値観が、ある地域にはずっと支配的であり続けるのか。フランス国内にしても、カトリック地域と、中心部といったように二元性があるのに、どうして混ざり合ってしまわないのか。どうしてもともとの家族形態に由来する価値観が、それぞれの地域で恒常的に残るのか。

それを説明するためには、どうしても一つの仮説が必要です。実は社会の経済や政治のあり方までも決定するような影響力を持つ集団の価値観というものは弱い、希薄な価値観なのです。しかし、その希薄な価値観の存在が非常に大きなパワーを生んでいる。希薄な価値観はなぜ希薄かというと、その地域で育った人が別の地域へ行って長く暮らしたり、あるいは次の世代になれば、新しく移った別の地域や国の価値観を採用するようになるからです。そのように希薄な、空気のような価値観が、職場や自分の付き合う仲間の間にある。それが実は非常に強い、一つの場所《テリトリー》を形成しているのです。個人はそれを長年の間に自分のものにしていきます。しかし、その人が他の場所《テリトリー》へ行けばまた変わるわけで、一つの社会文化から脱却する自由もあるのです。

したがって、精神分析学的な仮説は正しくありません。家族の中で、ある価値観が上の世代から下の世代へ、強く頭にねじ込むように押し付けられ、個人の内部にそういった価値観が埋め込まれるということがもしあったならば、移民先の社会文化に人々は馴染んでいかないはずです。だから、そういうものではなくて、薄く、表面的な弱い価値観が漂うような形で場所《テリトリー》に存在する。だからこそ、地域や界隈が強い影響力を発揮しているのだと思います。

これはイデオロギー的なア・プリオリなしに発見したことですが、きちんと事実に対応しているとすれば、フランス的な普遍主義者にとっては非常に受け入れやすい理論です。なぜならば、この理論によれば、社会文化は集団を特徴づけることはできますが、個人をその社会文化で決定することはあり得ないからです。個人が移住すれば、自分の生まれ育った界隈や階層の価値観から脱却して、別の価値観に馴染んでいくことがあるわけです。そういう意味で私の仮説は、人類は本質的に異なる民族や文化があるのではなく、多様性は事実として存在するが、それでも人類は普遍だという考え方に馴染みやすいのです。

テロリストの国籍剥奪という問題

いまフランスで最も激論になっていること、それは、オランド政権、特にマニュエル・ヴァルス首相がイニシアティブを取って、テロ行為の犯人がフランスとどこか別の国の二重国籍の場合、フランス国籍を剥奪するということを、憲法に書き込もうとしていることです〔国籍剥奪法案は、国民議会と上院で検討された結果、オランド政権が当初意図した形では成立しなかった。これに伴い、憲法に書き込まれる事態が避けられることも確実となった〕。そして、世論調査では少なくともいまのところ賛成が多くを占めています。

この問題が持ち上がったことは、実は私の立場をすっきりしたものにしてくれています。『シャルリとは誰か?』の中で私は、「私はシャルリ」と唱えた集団を「ネオ共和主義」という名前で呼びました。カトリック信仰が戦後急速に衰退した地域は、マーストリヒト条約批准に賛成した地域ともとてもよく重なっていたわけですが、それを私は、第二次世界大戦下でナチス・ドイツに協力したヴィシー政権のあり方と結び付けました。

そういうことをしたので、この本が出るとすぐ、なんとヴァルス首相がわざわざ『ル・モンド』紙に寄稿して私を批判しました。それを受けて私はテレビで一回だけ、フランスの現状に関する彼の楽観的な見方はヴィシー政権のペタン元帥のオプティミズムと同じだと答えたことがあります。当時の環境は非常に自分にとって厳しいものでしたが、二重国籍者のテロリストの国籍剝奪という問題が持ち上がったことにより、ある程度の教育を受けたフランス人はすぐに、それがヴィシー政権のときに起こったこととつながると気付いたのです。

すなわちヴィシー政権は当時、フランス国籍を持っていたユダヤ系の人たちからまず国籍を剝奪し、その上でナチスに協力してユダヤ人たちを捕らえ、結局彼らを絶滅収容所へ送ることに協力したわけです。その事実を思い起こさせることなので、このテロリストの国籍剝奪の是非はたいへん重要な問題です。

しかも、バカげたことでもあります。マグレブ系との二重国籍者はフランスに約三〇〇万人いますが、少し考えていただければ分かるように、何らかの理由で自爆テロのようなことをするマグレブ系の若者にとって、「テロ行為をやったらおまえのフランス国籍を剝奪するぞ」という脅かしが、いったい何の役に立つのでしょう。抑止になどなりません。実際上、全く効果を期待できない法案なのです。

このように今度の国籍剝奪に関する法案は、実際に効果を発揮することはありませんが、実は別の意味で効果を発揮するかもしれません。フランス国民の間に、異なるカテゴリーを作ることになりますから。これはフランスの普遍主義の大原則に対する裏切りです。標的になっているのはマグレブ系の若者たちです。彼らはすでにフランス社会で恵まれない立場にいるのに、さらにその状況を悪化させ、カテゴライズして、何か潜在的に問題のあるフランス人であるかのように位置づけるわけです。これは本当にとんでもないことです。このことによって、むしろ、彼らをテロリズムへと促してしまうのではないでしょうか。

さらに、フランスはテロとの戦いを宣言し、一年のうち六カ月しか機能できない空母をシリアに送り、爆撃をしています。実際上は効果を発揮しておらず、一種の見せかけにすぎません。そのような空爆を一方でやりながら、国内で国籍剝奪法案を通すことになれば、むしろテロリストの候補者を募集するようなものではないかと思います。テロと戦うはずの政府がなぜそういうことをするのか。連中は間抜けなんだというのが、一つの仮説です。

しかし、精神分析の観点から言うと、そのような法案を通そうとする人たちは、無意識のうちに危険な状態の悪化を求めているのではないかとも考えられます。なぜなら、非常事態宣言が出ているようなこの緊張感が悪化すればするほど、統治者にとっては統治しやすいからであり、いまやそれが統治の方法と化している面があるからです。もしそうだとしたら、これは非常に深刻です。フランスを想うとき、私は祖国がいまや深い夜の闇の中に沈み込んで行くプロセスにあるのではないかと思い、憂えています。

編集後記

本書は、今日の世界情勢に関する、エマニュエル・トッド氏の最新見解を集めた時事論集である。初出は各章の扉裏に示した通りだが、「1　なぜ英国はEU離脱を選んだのか?」を除いて、いずれも日本で収録もしくは日本の媒体で発表されたものである。

しかし本書は、通常の時事論集とは異なる。現在進行形のさまざまな出来事を、長期的な視座から、フランス歴史学のアナール派的な「長期持続」〔フェルナン・ブローデルの言葉〕の観点から捉えようとしているからだ。

各章のテーマは多岐にわたっているが、実は同じテーマを扱っている。というのも、テロ、移民、難民、人種差別、経済危機、格差拡大、ポピュリズム、英国EU離脱、トランプ旋風といった今日的現象は、トッド氏の言う「グローバリゼーション・ファティーグ〔疲労〕」、すなわちグローバリゼーションの限界とその転換に関わっているからだ。いずれも、サッチャー・レーガン登場以来の数十年間、英米主導で進められてきた「ネオリベラリズム&グローバリゼーションの終焉の始まり」を示す兆候なのである。

トッド氏は、とくにアングロサクソン社会の現象、英国EU離脱、米大統領選でのトランプ躍進に注目する。グローバリゼーションがもたらす「ファティーグ〔疲労〕」に英米社会すら耐えられなくなったことの証しだからだ。「グローバリゼーション発祥地での転換」は、「グローバリゼーションの終焉の始まり」を意味するはずだ、というのである。

ところで、トッド氏は「予言者」と称されることが多い。実際、ソ連崩壊、リーマン・ショック、アラブの春、ユーロ危機といった「予言」を的中させてきたが、それはいかにして可能だったのか？　本書は、その秘密に迫ることを企図した本でもある。編集にあたって、トッド氏の鋭い分析の結論だけでなく、それが生み出される過程、歴史や世界の見方そのものをできるだけ丁寧に示すことを心掛けた。というより、実は本書の企画のそもそもの狙いは、この点にこそあった。

「3　トッドの歴史の方法」は、二〇一六年一月の来日の際、芦ノ湖畔の山のホテル――トッド氏はこのホテルを「ジェームズ・ボンドの映画に出てくる山荘のようだ！」と気に入り、雪景色と富士山を楽しんだ――へ出かけ、堀茂樹氏と編集部が聞き手となり、二日間かけて収録したものである。知的遍歴をトッド氏自身に存分に語ってもらったもので、

「トッド入門」として読んでいただけるのではないだろうか。なかでも「国家の再評価」という今日的問題と「最も原始的な核家族」という人類史的問題が一続きに論じられるところは、トッド氏ならではの知的なスリリングさに満ちているように思う。

この取材にあたって、堀氏と編集部は、トッド氏が人類の「普遍性」と「多様性」をどう捉えているかにとくに注目し、この点についてじっくり語ってもらおうと考えていた。

トッド氏には、研究生活の前半の集大成である『世界の多様性』〈荻野文隆訳、藤原書店〉と「アラブの春」を予言した『文明の接近』〈石崎晴己訳、藤原書店〉という、書名だけを見れば、一見矛盾しているかのような著作があり、こうした二つの方向の研究が互いにどう関連しているのかを知りたかったのである。この点は、トッド氏の長年の読者にとっても、気になるところではないだろうか。

ちなみに日本では、『世界の多様性』は書評等でも高く評価されたが、『文明の接近』の方は戸惑う読者が比較的多かったようだ。おそらく、「識字化、出生率の低下を通じての人類の普遍的発展」という人口学者としての立場が、「文化の独自性を否定する普遍主義」と受け止められたからだと思われる。他方、『世界の多様性』だけを読んだ読者は、トッド氏を「文化相対主義者」だと判断するかもしれない。

しかし、トッド氏は、「私の研究は、対立する二つの考え方の対話＝緊張の間にあります。一つはイギリス型の文化相対主義で、もう一つはフランス型の普遍主義です」〔一〇八頁〕と述べているように、単純な「文化相対主義者」でも単純な「普遍主義者」でもない。この点は第3章で詳しく論じられている。

本書は、全体として、ネオリベラリズムおよびグローバリズムの言説に抵抗する本と言えるが、その抵抗は現実の国家や経済の問題に限られるものではない。ネオリベラリズムは、「それ自体として反国家の思想であるだけでなく、国家についての思考を著しく衰退させ」〔一三五〜一三六頁〕、「社会科学と歴史的考察を荒廃させ」〔八頁〕、「今日、アメリカの学問は完全に経済学中心となり、単純な『ホモ・エコノミクス』のモデルを世界中に適用しようとして」おり、「左派・右派を問わず、フリードマンにしろ、スティグリッツにしろ、クルーグマンにしろ、経済学モデルですべてを説明しようとする」「実に貧しいものの見方」〔一三八頁〕である。トッド氏によれば、このような知の荒廃こそ、ネオリベラリズムの最大の罪なのである。

知的なレベルでの経済（学）至上主義が、われわれの知を貧しくし、われわれは危機を前にしても何ら対策を取れずにいる。経済（学）至上主義とは、知的ニヒリズムにほかならず、知的エリートの無責任さ、怠惰の証しだ。そうであれば、「グローバリズムの終焉」は、「知的ニヒリズムとしての経済（学）至上主義からの脱却」でなければならない。これが本書を通じてのトッド氏の究極のメッセージと思われる。

今日、「移民」「ポピュリズム」「国家」といった問題は、極論同士がぶつかり合う厄介なテーマだが、こうした問題に対し、トッド氏は、常にリーズナブルな立場を保とうとしている。「国家」の役割を再評価し、国境の最低限の保全を主張するからといって、狭隘なナショナリストではなく、「移民」の権利を擁護するからといって移民の無制限な受け入れを支持するわけではなく、大衆の民意を尊重するからといって民衆礼賛のポピュリストではなく、エリートの役割を重視するからといって傲慢なエリート主義者ではない。

このようなトッド氏の現実問題に対する姿勢には、単線的にではなく、歴史を多次元的に見る「歴史家トッド」のまなざしが反映されているように思う。

二〇一六年一月のトッド氏来日にご協力いただいたアジアフォーラム・ジャパン（AFJ）を始め、本書刊行にご助力いただいた関係者、本書の刊行を快諾してくださったトッド氏、インタビュー、通訳、翻訳をしてくださった堀茂樹氏に謝意を表したい。

編集部

エマニュエル・トッド（Emmanuel Todd）

1951年生まれ。フランスの歴史人口学者・家族人類学者。国・地域ごとの家族システムの違いや人口動態に着目する方法論により、『最後の転落』（76年）で「ソ連崩壊」を、『帝国以後』（2002年）で「米国発の金融危機」を、『文明の接近』（07年、共著）で「アラブの春」を次々に〝予言〟。『シャルリとは誰か？』は4万部、『「ドイツ帝国」が世界を破滅させる』は14万部を超えるベストセラーに（いずれも文春新書）。

（訳者）
堀　茂樹（ほり しげき）

1952年生まれ。慶應義塾大学総合政策学部教授（フランス文学・思想）。翻訳家。アゴタ・クリストフの『悪童日記』をはじめ、フランス文学の名訳者として知られる。訳書に『「ドイツ帝国」が世界を破滅させる』『シャルリとは誰か？』（いずれもトッド著）『カンディード』（ヴォルテール著）など多数あり。

文春新書

1093

問題《もんだい》は英国《えいこく》ではない、EUなのだ
21世紀《せいき》の新《しん》・国家論《こっかろん》

2016年（平成28年）9月20日　第1刷発行
2016年（平成28年）10月5日　第2刷発行

著　者　エマニュエル・トッド
訳　者　堀　茂樹
発行者　木俣正剛
発行所　株式会社 文藝春秋

〒102-8008　東京都千代田区紀尾井町3-23
電話（03）3265-1211（代表）

印刷所　理想社
付物印刷　大日本印刷
製本所　大口製本

定価はカバーに表示してあります。
万一、落丁・乱丁の場合は小社製作部宛お送り下さい。
送料小社負担でお取替え致します。

ISBN978-4-16-661093-8